ゼロからわかる
量子コンピュータ

小林雅一

講談社現代新書

2663

はじめに

夢の超高速計算機は本当に実現できるのか？

昨今のＡＩ（人工知能）やブロックチェーン、最近ではメタバース（３Ｄ仮想空間）など、ＩＴ業界はバズワード（流行語）に事欠かない。

それらの中にあって、量子コンピュータは別格かもしれない。難解・深遠な量子力学を計算の原理に応用したこの次世代コンピュータは、（日本の「富岳」のような）世界最速級のスーパーコンピュータ（スパコン）でも数万〜数億年もかかるような計算をわずか数分でやり遂げるという。

スパコンを頂点に現在広く使われているデジタル汎用コンピュータは、もともと１９４０年代半ばに米国で軍事用に開発された「エニアック（ENIAC）」に端を発する。以来、科学技術の研究開発を縁の下で支え、それを通じて高度な現代文明の発達を促してきた。

特に１９７０年代以降、ＬＳＩ（大規模集積回路）など半導体技術の微細化から生まれたパーソナルコンピュータ（ＰＣ／パソコン）は、90年代のインターネットブームを経て今や私たちのビジネスや暮らしに欠かせないものとなった。

これら既存のコンピュータを遥かに凌ぐとされる量子コンピュータは、これまでには想像もつかなかったような繁栄を世界にもたらしてくれるはずだ。

しかし、問題はそれが「本当に実現できるのか」ということだ。

ビッグテック参入のウラで報じられていない実態

一般に量子コンピュータのアイディアを最初に提唱したのは著名な米国の物理学者リチャード・ファインマンで、それは1980年代初頭とされる。

これに触発され、1990年代以降は一部の物理学者や数学者らが量子コンピュータを実現するための技術方式やアルゴリズム（計算の手順）を次々と提案した。が、これらはおおむね理論的な試みに過ぎず、本気で量子コンピュータを作ろうとする科学・技術者はほぼ皆無だった。

しかし2010年代に入り、IBMやグーグル、マイクロソフトをはじめとする巨大IT企業が量子コンピュータの開発に本格参入すると、業界の雰囲気が一変する。これら世界的な知名度を誇るビッグテックは巨額の開発資金を惜しみなく投じると同時に、世界中の関心を惹きつける巧みなPR戦略で、瞬く間に量子コンピュータをIT業界における次世代のホープへと仕立て上げた。

特にグーグルは2019年、当時の世界最速に認定されたIBM製スパコンなら1万年かかる計算を、量子コンピュータを使って3分20秒で終えたとする「量子超越性（quantum supremacy）」の実験結果を発表した。こうした派手な取り組みは産業界ばかりか日本をはじめ主要各国の政府関係者にも大きな衝撃を与え、各々数百億〜1兆円以上にも上る巨額予算を量子技術開発に投じる政策へと舵を切らせた。

この量子コンピュータが実用化された暁には、その異次元の計算能力によって都市の交通渋滞を解消し、太陽光・風力発電や電気自動車に使われる次世代バッテリーが開発されるなど、世界的な脱炭素化や気候変動問題の解決に寄与すると目されている。また製薬業界では、従来とは桁違いに低コストかつ短期間で新薬を開発したり、物流業界では複雑な配送ルートやサプライチェーン等を迅速に最適化できたりするようになるという。

さらに量子コンピュータをＡＩの一種である「機械学習」技術に応用すれば、時々刻々と変化する天気や交通・道路状況に的確に対応できる自動運転車など、夢のような未来社会の実現に大きく貢献すると見られている。

ところが、こうした急激に高まる期待に反し、実は米国のビッグテックを中心とする量子コンピュータの研究開発は難航している。確かにＩＢＭなど一部企業はすでに１００個以上の量子ビット（量子コンピュータが処理する情報の最小単位、またはそのための部品）を備えたマシンを開発するなど順調に推移しているように見えるが、それらの製品は一種の試験機に過ぎず、現実世界の諸問題を解決する実力はない。

一方、現実世界で通用する本格的な量子コンピュータには「誤り訂正（誤り耐性）」と呼ばれる技術が必須条件となっている。

従来のコンピュータには、主にハードウエア的な要因から発生する計算の誤りを自動的に訂正する機能が備わっている。ところが量子コンピュータでは、そうした「誤り訂正」の理論はすでに存在するものの、技術的には未だ確立されていない。

この量子コンピュータの「誤り訂正」技術の開発では、米マイクロソフトが欧州の大学との共同研究で一時ブレークスルーをもたらすかと期待された。しかし、こちらも2020年、それを科学的に証明するはずの論文に誤りが指摘され撤回に追い込まれた（詳細は第1章で）。

こうした困難な開発状況の根底には、量子コンピュータのベースとなる量子力学の本質的な特性が横たわっている。

自然科学というより「宗教の教義」に近い!?

量子力学は興味深い二面性を備えている。

一つは量子力学の基本「シュレディンガー方程式」の解となる波動関数の確率的解釈を

巡る、極めて思弁的で半ば哲学的ともいえる側面。これは有名な「シュレディンガーの猫」と呼ばれるパラドックスとして表現されている。

どういうことか。本来、原子や電子などミクロ世界を説明する物理学である量子力学を、強引に私たちが生きるマクロな日常世界に接続しようとすると、箱に閉じ込められて外部からは見えない猫が「生きていると同時に死んでもいる」という矛盾した状況に追い込まれるという話（思考実験）だ。

要するに量子力学の実存的な矛盾を指摘した一種の寓話なのだが、物理や科学全般に造詣の深い人間でない限り、「シュレディンガーとは何（誰）か？」「なぜ猫が関係してくるのか？　他の動物ではいけないのか？」と考え込んでしまうなど、やや衒学的（学問・知識をひけらかす様子）な話でもある（実は猫に限らず、どんな動物でも、この寓話は成立する。たまたま、これを言いだした物理学者のシュレディンガーが猫嫌いだったので、あえて猫を選んだとする俗説もあるようだが、確かではない）。

もう一つは、そうした深遠で謎めいた哲学的議論はひとまず措いておき、とりあえず「結晶体内の周期的ポテンシャル」など特定の物理的条件下で電子の振る舞いを求めるシュレディンガー方程式を解き、それをエレクトロニクス産業などの技術開発に活かそうというプラグマティック（現実的・実利的）な側面。

20世紀半ばに発明されたトランジスタやそれを微細化・集積化することによって誕生したLSIなどの半導体産業は後者、つまり量子力学のプラグマティックな側面にのみ注目して、これを効果的に活用することで順調な成長を遂げた。

これに対し21世紀の今日、次代のIT産業を担うと見られる量子コンピュータの開発には前者、つまり量子力学の確率的解釈を巡る哲学的な側面がもろに影響してくるのである。

おいおい説明していくが、量子コンピュータの基本的な素子（部品）となる量子ビットは「0であると同時に1でもある」という奇妙な「量子重ね合わせ」状態を実現する必要がある。そこに生じる「量子並列性」と呼ばれる特徴などによって、超高速計算の能力が育まれるのだ。

これは前述の「シュレディンガーの猫」と本質的に同じパラドックスを内包している。なぜなら、電子や光子などミクロの物質（量子）で作られる量子ビットを、あえて「コンピュータによる計算」というマクロな日常世界の出来事に結びつけるからだ。

この「量子重ね合わせ」や「量子並列性」を生み出すしくみは本書の第2章で説明するが、それをお読みになれば、自然科学というより一種「宗教の教義」に近いような印象を受けるはずだ。「それを理解できるかどうか」というより、「それを受け入れることができるかどうか」という問題なのである。

このように現実離れした逆説的な理論をベースに、大規模な開発プロジェクトが世界各国で進み始めている。しかし本書はそれを無条件に肯定したり、あるいは逆に頭ごなしに否定するといった内容ではない。

むしろ量子コンピュータの基本的な原理から産業的側面、さらには社会・政治的インパクトに至るまで、多面的な事実を積み上げ考察を加えることにより、その際どい実現可能性を検証していくのが本当の狙いである。

最後までお付き合いいただければ幸いだ。

２０２２年６月

著者

本書では、大学の教科書で紹介されるような物理学者・数学者らは歴史上の人物として敬称を省略する。また、本文中の為替レートは言及している事項（ニュース等）時点のものとする

目　次

第1章 巨額の投資対象に変貌した「科学の楽園」

——量子コンピュータとは何か

世紀の発明に向かって産業界の「人（ヒト）」と「金（カネ）」が激しく動いている。

２０２１年10月、米国のアマゾン・コム（以下、アマゾン）はカリフォルニア州パサデナに新たな研究拠点を設け、ここで待ちに待った「量子コンピュータ（Quantum Computer）」の自主開発に乗り出した。

これに先立つ同年5月、米アルファベット傘下のグーグルもカリフォルニア州サンタバーバラに「量子ＡＩキャンパス」を開設。ここで今後、数十億ドル（数千億円）をかけて汎用「誤り耐性」型の量子コンピュータを開発していく計画を明らかにした。

新興企業への投資も急拡大している。

２０２１年、ニューヨーク証券取引所（ＮＹＳＥ）などでは「ＳＰＡＣ（特別買収目的会社）」と呼ばれる特殊な上場手法を使って、一度に数億ドル（数百億円）もの巨額資金を調達する量子スタートアップ企業が続出。これらを中心に量子コンピュータ関連の投資額はゆうに15億ドル（１６００億円以上）を超えるなど、史上最大規模に達した。

新型コロナ禍における超金融緩和バブルの影響を差し引いても、この分野への期待が急激に高まっている証しといえよう。

難解・深遠な量子力学を理論的な礎とする量子コンピュータの研究開発は、そのアイディアが発案された１９８０年代から長年にわたって、物理学者らがその実現可能性などを巡って知的な議論を戦わせては楽しむ「科学の楽園」であった。

それがいつの間に、また何故(なにゆえ)に、巨大ＩＴ企業の次世代プロジェクトにして、生き馬の目を抜くウォールストリートにおける格好の投資対象へと変貌を遂げたのか？

まずは、一大ブームを迎えつつある量子コンピュータの歴史を駆け足で眺めてみることにしよう。

「経済安全保障」の最優先課題

そもそも量子コンピュータとは、20世紀初頭の欧州を中心に最先端の物理学として確立され、原子や電子などミクロ世界を説明する「量子力学（Quantum Mechanics）」を計算の基本原理とする「夢の超高速計算機」だ。

ここに登場する「量子」とは、私たちの身の周りにある色々な物を何度も何度も限りなく分割していった末に、原子サイズ以下にまで小さくなった物質やエネルギー等の極小単位のことだ（図1）。

具体的には「原子」、その構成要素である「陽子」「中性子」「電子」「クォーク」、あるいは光を構成する素粒子である「光子（光量子）」などが量子の代表だ（ちなみに、原子の直径はおおむね１０００万分の１ミリメートル）。

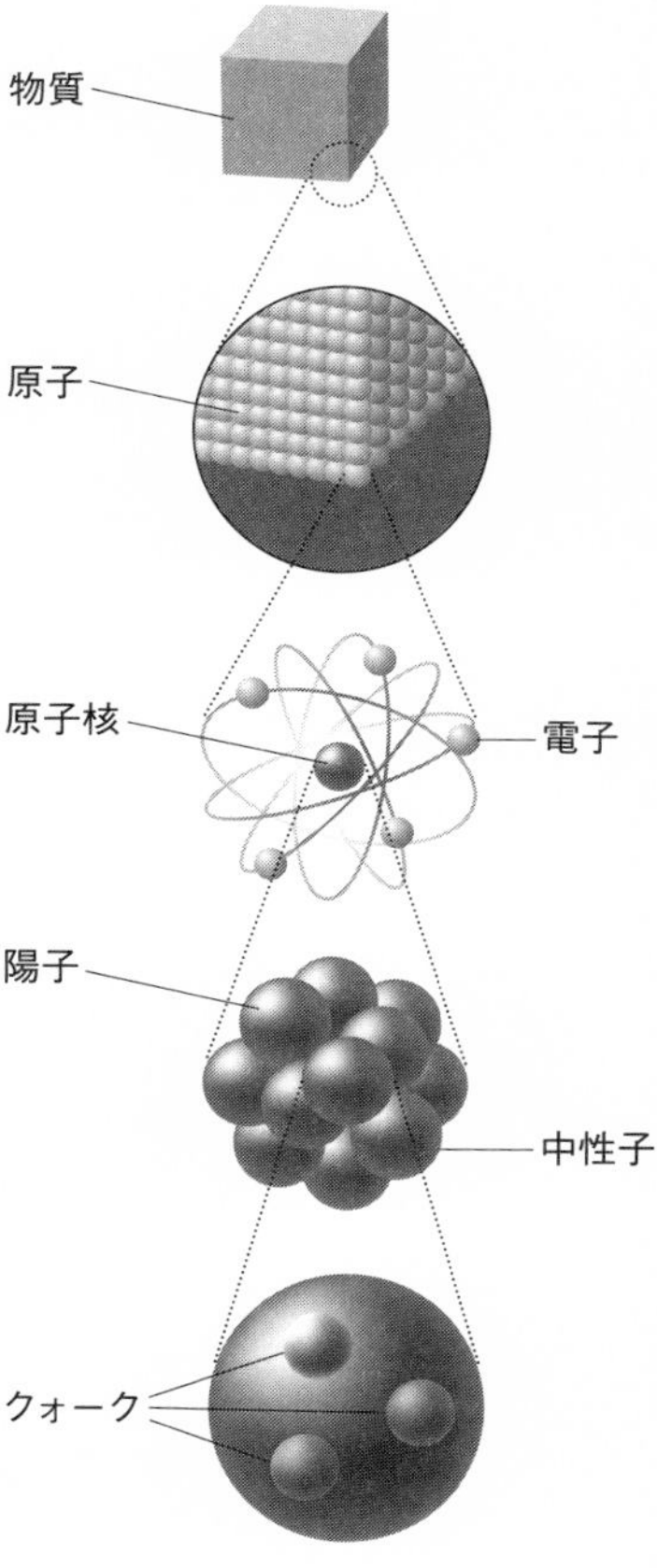

図１　私たちの身の周りにある様々な物質は、非常に小さな量子が集まることによって形作られている

出典：https://www.mext.go.jp/a_menu/shinkou/ryoushi/detail/1316005.htmをもとに編集部作成

そして、これら小さすぎて目には見えない様々な量子の振る舞いを、高度な数式を駆使して解明する物理学が量子力学である。

さて、ここまでお読みになって、「一体、そんなものが夢の超高速計算機と何の関係があるのか？」と訝しく思われたかもしれない。

実は量子コンピュータの素材として使われる電子や光子など量子には、いくつかの奇妙な特徴がある。その最たるものが「量子重ね合わせ（quantum superposition）」と呼ばれる現象だ。

以下、比喩的な表現となるが――私たちの生きるマクロな日常世界では、白はあくまで白であり、決して黒ではない。しかし電子や光子などが活躍するミクロの世界では、「白は白であると同時に、黒でもある」という奇妙な状況が成立する――要するに、一つのモノが同時に異なる状態（ポジション）を取り得る。これが量子重ね合わせだ。

もしも、こうした量子ならではのユニークな特徴を活かした本格的な量子コンピュータが開発されれば、その計算速度は異次元の領域に達し、スパコンをはじめ従来の計算機がまるで「原始時代の石器」にも見えてしまうほどとされる。

１９８０～90年代、英国の物理学者デイヴィッド・ドイッチュをはじめ先駆的な研究者らが、量子コンピュータを実現するための具体的な方式やアルゴリズム等を提案した。

いずれもこの「量子重ね合わせ」を利用して、一台のコンピュータの内部に自らの分身を無数に作り出す。これら無数の分身が協力して一つの仕事をこなすので、その結果として桁外れに超高速の計算が実現されるのだ（より厳密な説明は第2章で）。

量子コンピュータの活躍が期待されているのは、スパコンなど従来の高速コンピュータでも事実上解くことができない超難問の数々だ。

たとえばセールスマンが多数の都市を一度ずつ巡って元の地点に戻る巡回コスト（移動

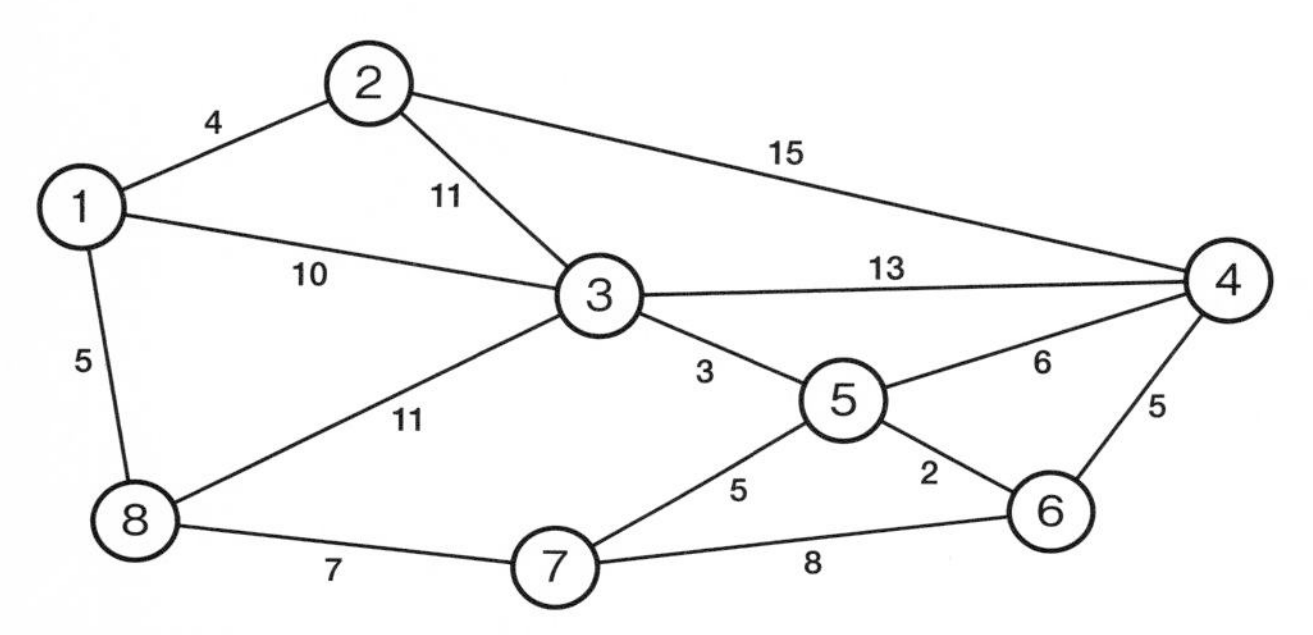

図2　巡回セールスマン問題

○で囲った数字が都市、それらの間を結ぶ直線の数字が都市間の距離をはじめ移動コストを示している。この場合、8つの都市をセールスマンが巡回する際に、どのルートをたどれば移動コストが最小になるかを求める。交通手段の違いなどに応じて、同じ距離でも移動コストが異なるケースがある　出典：https://www.researchgate.net/figure/Traveling-Salesman-Problem_fig3_301325477をもとに編集部作成

コスト）の最小値を計算する有名な「巡回セールスマン問題」など、一般に「組み合わせ最適化」と呼ばれる問題が一例である（図2）。一見、簡単そうな問題だが、都市の数が3つ、4つ……と増えていき、ある段階に達すると、計算量が爆発的に増加するので手に負えなくなる。

これらは計算方法はわかっても、それに従って実際に計算しようとすると現在最速のスパコンを使っても何億年もかかるような（つまり事実上、解けない）問題だ。このような難問は、IT、金融、自動車、化学、製薬、運輸・流通、軍事など様々な分野に多数存在しており、それらを解くために異次元のスピードで動作する量子コンピュータの出現が待たれているのだ。

一方、もしも本格的な量子コンピュータが実現すれば、ネットショッピングや銀行のATM、あるいはビットコインのような暗号通貨で使われている従来の暗号技術が容易に破られてしまうため、ITや金融業界のほか、国防・諜報活動など安全保障の分野でも深刻な懸念を呼んでいる。だからこそ第3章で詳述するように、現在、各国の政府・企業は、量子コンピュータでも破ることのできない「耐量子」暗号技術の開発に躍起になっているのだ。

また他国に先駆けて本格的な量子コンピュータの開発に成功した国は、産業競争面での強力なアドバンテージを得ることから、いわゆる「経済安全保障」の最優先課題ともなっている。

スマホやPCとは似ても似つかぬ異形

以上のような量子コンピュータの中核となる要素技術が「量子ビット（qubit）」だ。

パソコンからスパコンに至るまで従来のコンピュータでは、そのデータを構成する各ビットが0か1かのいずれかを表す。これに対し量子コンピュータでは、従来のビットに対応する量子ビットが同時に0と1の両方の状態を取り得る。この奇妙な二重性は（前述の）「量子重ね合わせ」から生まれている。

量子ビットを実現するには、「超伝導」や「原子核／電子のスピン（量子化された角運動量の一種）」、あるいは「イオン（電荷を帯びた原子）」や「光の偏光」など様々な物理現象が利用されるが、現時点で最も広く使われているのは「超伝導」を利用した方式だ（詳細は第2章で）。超伝導とは、特定の物質において、その電気抵抗が極低温でゼロになる現象のこと。電気抵抗がゼロになると、その物質でできた回路に電流が永久に流れ続ける。

この不思議な現象を応用した超伝導量子ビットは1999年、当時日本のNECに所属していた中村泰信氏（現在は博士、東京大学教授）、蔡兆申博士（現在は東京理科大学教授）らの研究チームが先鞭をつけた技術だ。[*1]

当初の超伝導量子ビットは、素材的にはアルミニウムと（絶縁体の）酸化アルミニウム等から構成され、それらが互いに接する「ジョセフソン接合」というしくみによって実現された。

アルミニウムは絶対零度（摂氏マイナス273・15度）近辺で超伝導に達する。そこにはジョセフソン接合によって、2個の電子が対を成した「クーパー対」と呼ばれるペアが生成される。この超伝導状態にあるクーパー対が「一種の波」のように振る舞い、ポテンシャルの壁（絶縁層）を確率的に突き抜ける。これが有名な「トンネル効果（トンネル伝導）」と呼ばれる量子現象だ。これによって、1組のクーパー対が壁を挟んで同時に2つの場所に

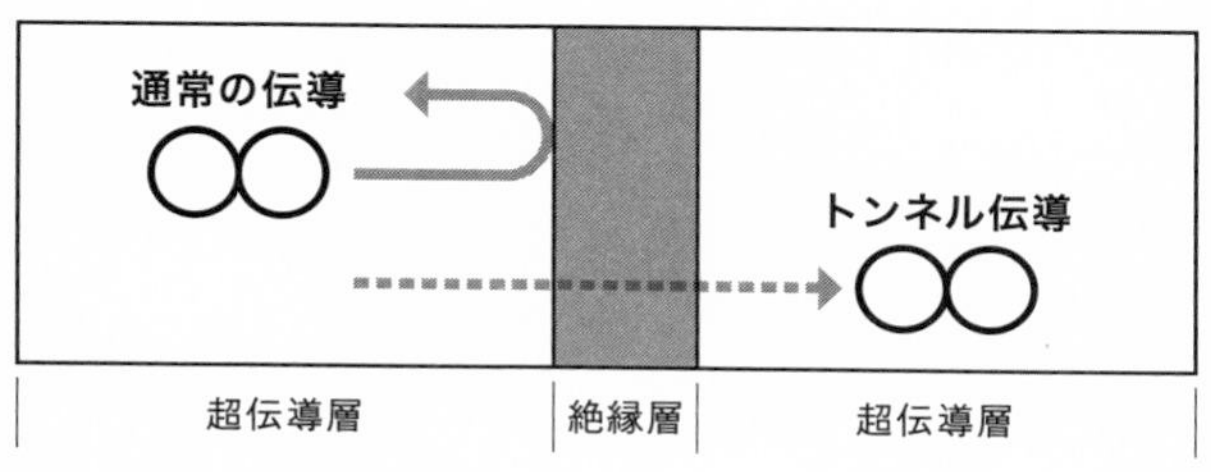

図３　ジョセフソン接合
２個の電子から成るクーパー対が「確率の波」のように振る舞い、ポテンシャルの壁（絶縁層）の向こう側へと染み出る
出典：https://www.hpc.co.jp/tech-blog/2020/09/08/quantum-computer_report_2/をもとに編集部作成

存在する量子重ね合わせ、つまり量子ビットが成立するのだ（図３）。

以上のような超伝導量子ビットは、量子コンピュータを実現する上で、最も集積化と操作性にすぐれた素子として評価され、その後も各国で研究が進められた。

やがて２００９年には、米国のイェール大学やカリフォルニア大学サンタバーバラ校等の研究チームが、半導体関連の標準的な材料や技術で超伝導量子ビットを実現した。これによって「夢の量子コンピュータを本当に作れそうだ」ということを世界に示した。

これを受け、２０１０年以降、ＩＢＭやグーグルをはじめ米国の巨大ＩＴ企業はいずれも自社の量子コンピュータを開発する際に、この方式を採用することとなった。

これら超伝導量子ビットに基づく量子コンピュータは、いずれも極めて特徴的でありながら互いに似通った外観を呈している（写真1、2）。それは金属棒等で組み上げられた大人の背丈ほどもあるシリンダー（円筒）形装置の周囲に、電線などのワイヤーが幾重にも張り巡らされ、それら機材全体が極低温状態を維持するために大型の希釈冷凍機に保管されている。

冷凍機の天井から吊るされ、黄金色に輝くその姿はまるでシャンデリアのようだが（帯写真）、実際に量子計算を行うプロセッサ（演算処理装置）自体は、円筒形の先端部にセットされたコンパクトなチップ（集積回路）に過ぎない（写真2の右側）。残りの大半は、絶対零度近辺の極低温における超伝導状態を制御するための装置だ。

こうした量子コンピュータの形状は、私たちが日頃使い慣れたスマホやパソコン、あるいは企業等で使われる各種サーバーや大型計算機、ひいてはスパコンのような従来のコンピュータ（古典コンピュータ）とは似ても似つかない。ＳＦの世界から抜け出そうとしている異次元の超高速計算機は、それに相応しい異形の姿を見せつけている。

これから高まる〝量子人材〟の必要性

それにしても写真1、2のような量子コンピュータを眺める限り、そこにはマウスもキーボードもディスプレイ画面も見当たらない。こんなものを私たちは一体、どのようにして使うというのだろうか？

写真１　IBMが開発中の量子コンピュータ
出典：https://www.ibm.com/quantum-computing/what-is-quantum-computing/

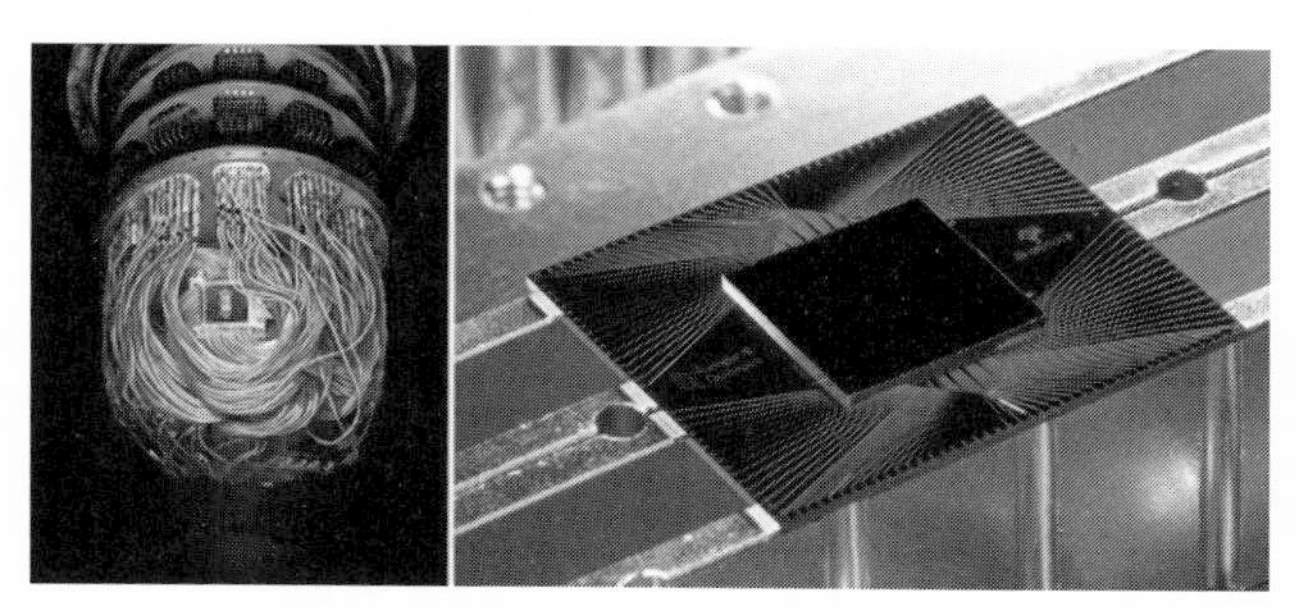

写真２　グーグルが2019年に公開した量子コンピュータ（左）と、その先端部で実際に量子計算を実行している「シカモア（Sycamore）」と呼ばれる量子プロセッサ（右）
出典：https://ai.googleblog.com/2019/10/quantum-supremacy-using-programmable.html

図4　量子コンピュータはクラウド型で利用される

出典：https://walther.univie.ac.at/research/secure-quantum-and-classical-computing/ をもとに編集部作成

その答えは「クラウド型の利用形態」である。つまりメーカーや業者が希釈冷凍機内に保管された量子コンピュータをインターネット経由で提供すれば、私たちはそこにパソコンやタブレット、スマホなどを接続して、会社のオフィスや自宅等から、この「夢の超高速計算機」を使うことができる（図4）。

実際、ＩＢＭやグーグル、マイクロソフト、アマゾンなど米国の巨大ＩＴ企業は現在、自主開発あるいはスタートアップ企業等から調達したエントリーレベル（入門用）の量子コンピュータをクラウドサービス化して提供している。これを通じて多くの業界の企業や個人利用者らに量子コンピュータを使ってもらうことで、その普及を図っている。

すでに欧米や日本などでは、金融、自動車、化学をはじめ様々な業界の主要企業が、こうしたクラウド型の量子コンピューティングを利用し始めている（詳細は第3章で）。

ただし、これまでＩＢＭをはじめＩＴ各社が提供してきた量子コンピュータはいずれも数十個の量子ビットしか搭載していない。この程度のスペックでは、産業各界で実際に起きる難問を解決できるほどの実務的能力はない（２０２２年中には数百個の量子ビットまで拡張されるかもしれないが、それでも飛躍的な性能の向上は見込めない）。

つまり現在稼働している量子コンピュータは本格的な実用機というよりも、未だ〝試験機レベルの製品〟である。産業各界で今、こうしたマシンを使っている企業は、将来、量子コンピュータの性能が大幅に向上して実用化の段階に達した時に備え、今からそれを使い始めることで、量子計算に習熟した人材を育成しておくのが主な目的だ。言わば「お試し利用」と呼ぶべき段階である。

仮に将来、量子コンピュータが本格的に使われるようになっても、少なくとも当初は今と同じようにクラウド型サービスとして提供される見込みだ。なぜなら、（前述のように）量子コンピュータは希釈冷凍機内に収められたシリンダーや複雑な配線など大規模な機材で構成され、その値段はおおむね1台10億円以上と極めて高額であるからだ。このような代物を、今のパソコンやスマホのように一人１台で保有することはまずあり得ない。

これは古典コンピュータの歴史と対比してみるとわかりやすい。

「夢の超高速計算機」だけど「万能」とはいえない理由

１９４６年に米国で軍事用に開発された「エニアック」など、初期の古典コンピュータは大きな専用ルームの大部分を占めるほどの大型計算機であり、研究室で白衣を着た科学者のみが使うことを許される特権的なマシンだった。

米ＩＢＭの初代社長トーマス・ワトソン・シニアは当時、「世界のコンピュータ市場はせいぜい5台ぐらいだろう」と述べたとされる。

その後、１９５０〜60年代にＩＢＭが科学計算や事務処理用のメインフレーム（大型計算機）「ＩＢＭ７００／７０００」シリーズを製品化してからも、その使い方は本質的に変わらなかった。当時のメインフレームの価格は数百万ドルと非常に高価であり、今のパソコンのように個人が占有して使うことなど想像すらできなかった。それは企業各社の計算機室に鎮座し、これを社内の通信回線に接続して、複数のユーザーがモニター端末から同時に利用した。当時、このような使い方は「タイム・シェアリング（時分割共有）」と呼ばれた。

少なくとも当初の量子コンピュータは、20世紀半ばのメインフレームなど古典コンピュータと同様の使い方をされる見込みだ。つまり（前述の）クラウド型サービスとして提供され、これを多数のユーザーがインターネット経由で共有しながら利用する。

こうした量子コンピュータとパソコンやサーバーなど現在の古典コンピュータとでは、それらが担当する仕事について一種の「棲み分け」が生じると見られている。というのも、量子計算機はあらゆる問題で汎用的な高速性を示すわけではないからだ。

前述のように、量子コンピュータの活躍が期待されるのは「組み合わせ最適化」に代表される特殊な難問の数々を解決することだ。逆に「商品の販売管理」や「売上予想」、「データベース管理」「Eコマース」など定型的な業務処理には、今でも企業で使われているメインフレームやサーバーなど古典コンピュータのほうが適している。

また私たちが普段スマホやパソコン等から使っている「音声通話」「チャット」「電子メール」「SNS」等のサービスは、それら既存のIT端末で十分に対応することができる。これら日常的な目的に、異次元の性能を誇る量子コンピュータをあえて使う必要性は全くない。

このため将来、(IBMやグーグル等が最終的な開発目標としている)万能の「誤り耐性」量子コンピュータが実現したとしても、現在のパソコンのような古典コンピュータも相変わらず使われ続けている見通しだ。

今のPCのような小型化は可能?

そのような時代において、私たちは恐らくパソコンやスマホ、あるいは車載端末などから、半ば無意識のうちにクラウド型の量子コンピューティングを利用することになるだろう。

たとえば交通渋滞のときにカーナビを使うと、その仕事がインターネット経由で自動的に量子コンピュータへと転送される。そこで組み合わせ最適化のアルゴリズムが瞬時に実行され、渋滞を回避して最短時間で目的地にたどり着けるルートがあっという間にユーザーに提示される――そういった利用形態だ。

その先の時代となると、予想は難しくなる。が、これも古典コンピュータと照らし合わせてみると、１９７０～80年代にかけて、いわゆる「ムーアの法則」に従って半導体チップの集積度が指数関数的に上昇し、その結果として大容量メモリやＣＰＵ（中央演算処理装置）などのＬＳＩを搭載した安価なパソコンを誰もが所有して使うようになった。

もちろん現時点の量子コンピュータは摂氏マイナス２７０度以下の希釈冷凍機や大型の機材を必要とするなど、とてもではないがパソコンのような小型化を実現することは想像しにくい。しかし未来永劫にわたって、今のままであり続けると断定するのも早計だろう。

いずれは量子コンピュータに使われる素材や要素技術の革新によって、その異次元の計算能力を常温で動作する小型チップの中に封じ込めることができるかもしれない。そうなった場合、スマホやパソコン内部の基盤上に現在のＣＰＵと並んで量子チップを搭載し、これら手元の情報端末から直接、量子計算を実行できるようになる。

そのような時代になれば、家電量販店やEコマースのセールで、最新世代の量子チップを搭載したパソコンやタブレット等を私たちが手ごろな価格で買えるようになるかもしれない。

もちろん、これらは今のところ単なる臆測に過ぎない。小型化・集積化を求める以前に、どれほど大きくて床面積を占有しようとも、まずは実用的な量子コンピュータが開発されなければ、全ては絵に描いた餅に終わってしまう。

量子コンピュータは究極のエコ計算機？

ここからは、実際に量子コンピュータを開発しているいくつかのメーカーの取り組みを見ていくことにしよう。なぜなら、これら企業の過去から現在に至る開発状況を見れば、多かれ少なかれ、その延長線上に将来の本格的な量子コンピュータの姿が垣間見えるからだ。

まずは数ある巨大ＩＴ企業の中でも、最も早くから量子コンピュータの研究開発を進めてきた米国のＩＢＭから見ていこう。

一般に量子コンピュータの構想を世界で最初に唱えたのは、伝説的な米国の物理学者リチャード・ファインマンとされる（１９６５年に日本の朝永振一郎らとともに量子電磁力学の功績でノーベル物理学賞を受賞したことでも知られる)。

１９８１年、ファインマンは量子力学と情報理論に関する講演の中で「自然をシミュレーションしたいなら量子力学的に実現すべきだ(if you want to make a simulation of nature, you'd better make it quantum mechanical)」と述べた。[*2] 自然界の根本的な原理に基づく量子力学を計算理論に応用すれば、コンピュータ上で様々な自然現象をスムーズに再現できるというわけだ。

実際に「量子コンピュータ(Quantum Computer)」という言葉を使ったわけではないが、一般にはファインマンのこの発言が世界で初めて量子計算機の可能性と意義を示唆したものと見られている。

しかしＩＢＭの見方では、量子コンピュータの起源はそれよりだいぶ以前にまで遡る。

１９６１年、ＩＢＭの基礎研究所で情報理論等を研究していた物理学者ロルフ・ランダウアーは、有名な「情報消去の原理(ランダウアーの原理)」を提唱した。これは、コンピュータによる計算のエネルギー消費に関する原理だ。

それによれば、何らかの計算過程で情報が消去される場合、そこに熱が発生する。

一方、入力から出力が一意に定まると同時に、その逆、つまり出力から入力も一意に定まるような計算は「可逆計算」と呼ばれる。可逆計算はその途中で情報が消去されることなく、結果的に熱も発生しないので、非常にエネルギー効率の良い計算であるという。

$$i\hbar \frac{\partial}{\partial t}\psi(\mathrm{r},t) = -\frac{\hbar^2}{2m}\nabla^2\psi(\mathrm{r},t) + V(\mathrm{r},t)\psi(\mathrm{r},t)$$

図5　シュレディンガー方程式

オーストリアの物理学者エルヴィン・シュレディンガーが1926年に提唱した波動方程式。古典力学における「ニュートンの運動方程式」に匹敵する量子力学の基本方程式。これを中心とする一連の業績により、シュレディンガーは1933年にノーベル物理学賞を受賞

量子力学の理論的な礎である「シュレディンガー方程式」（図5）は時間の向きを逆転させても不変であることから、量子力学に従う計算方法もまた可逆計算モデルの一つと考えられた。

つまり量子計算機はエネルギー効率が極めて高く、桁外れの省エネを実現する次世代のコンピュータになる可能性があった。まさに現在の「ＳＤＧｓ（持続可能な開発目標）」や「ＥＳＧ（環境・社会・ガバナンス）」など、当時から見れば未来のトレンドを先取りした究極のエコ計算機といえよう。

ＩＢＭの見方によると、この「ランダウアーの（情報消去の）原理」と可逆計算モデルの研究こそが量子コンピュータ開発の端緒であって、ファインマン博士が提示したのは、「量子コンピュータの計算能力が（自然界のシミュレーションなど特定の用途において）従来のコンピュータを上回る可能性」に過ぎないという。この見方に従えば、確かに量子コンピュータを世界で最初に構想したのはＩＢＭということになる。

ただ、少なくとも現時点で存在する黎明期の量子コンピュー

タは前述の希釈冷凍機をはじめ大型機材が大量の電力を消費するなど、とてもではないがエコ計算機とは呼べない。将来、そうした立派な称号を冠するためには、常温で動作する小型の量子コンピュータが実現される必要があるだろう。

世界をリードするＩＢＭの技術

ＩＢＭはその後も、量子コンピュータの基礎研究で世界をリードした。

１９９０年代、各国の先進的な研究者の間で、大規模な素因数分解を可能にする「ショアのアルゴリズム」やデータベース探索を高速化する「グローバーのアルゴリズム」など画期的な量子計算モデルが次々と考案され、この分野への関心が急速に高まっていった。[*3][*4]

特に「ショアのアルゴリズム」を量子コンピュータの上で動かせば、金融やＩＴのようなビジネスのみならず各国の安全保障も支える「ＲＳＡ」等の暗号をやすやすと破ってしまうことが判明し、学界ばかりか政財界にまで波紋を広げた（詳しくは第3章で）。

こうしたなか、２０００年には当時ＩＢＭに在籍していた理論物理学者デイヴィッド・ディヴィンチェンゾが実用的な量子コンピュータが満たすべきいくつかの条件をまとめた。[*5]

それは「大規模化が可能な量子ビットの実現」「量子状態を十分長い時間保つこと」など５つの条件からなり、これ以降の世界的な量子コンピュータ開発に大きな影響を与えた。

またＩＢＭ自身も２００１年、同社のアルマーデン研究所で「核磁気共鳴（ＮＭＲ）」と呼ばれる技術に基づく7量子ビットの量子計算機を開発。これにより「15＝３×５」という初歩的な素因数分解をやって見せた。[*6] ただ、この装置は特製の化学分子を使って試験管の中で量子ビットを実現する等、実用的な量子コンピュータからは程遠いものだった。

やがてＩＢＭはより本格的な「超伝導量子ビット」方式へと舵を切り、２０１６年にはこの技術をベースにして5量子ビットの計算機を開発。これを「IBM Quantum Experience」と名付け、クラウドサービスとして一般公開した。

２０１７年5月には、16量子ビットにまで拡張したマシンを「IBM Quantum System One（ＩＢＭ Ｑ）」と命名し、同じくクラウドサービスで提供し始めた。

ＩＢＭ Ｑは米国やドイツなど欧米諸国の企業に導入され、２０２１年7月には日本でも稼働を開始。この時点では27量子ビットにまで拡張されており、神奈川県川崎市の「かわさき新産業創造センター」に設置された（写真3）。

神秘的な風貌のＩＢＭ Ｑは、超伝導方式に従う量子コンピュータの中でも、特に「トランズモン（transmon）」と呼ばれる量子ビット技術をベースにしている（以下の説明はやや専門的でわかりにくいが、大体の感触だけ摑んでいただければ十分だ）。

トランズモンは２００７年、米イェール大学の研究チームによって開発された技術で、

写真３　かわさき新産業創造センターに設置された IBM Quantum System One（IBM Q）

出典：https://www.ibm.com/blogs/think/jp-ja/the-day-when-the-falcon-alighted-to-kawasaki/

電荷ノイズ（電気信号の偶発的な変動）への耐性にすぐれた超伝導量子ビットとされる。

このＩＢＭ Ｑに仕事をさせるには古典コンピュータと同様、キーボードのような入力端末から何らかのコマンド（操作命令）を入力してやればいい。その命令は即座に「０」と「１」が交互に並んだ（古典コンピュータ用の）ビット列に変換される。

このビット列は（ＩＢＭ Ｑの黒い円筒型筐体の内部にある）シャンデリア型装置の最上段へと送信される。そこでマイクロ波（比較的短い波長の電磁波）から作られるパルス（波形信号）へと変換され、これ以降の量子計算への準備が行われる。

やがて最上段から下方へと出力されたパルスは、超伝導状態を制御する複雑なワイヤーとパイプ等から構成されるトランズモン本体へと転送され、ここで「0」と「1」の状態が重ね合わさった量子ビットへと変換される。

後続のパルスは、これら超伝導量子ビットを操作するために使われる。この操作は量子ゲートと呼ばれるしくみによって実現され、数学的にはベクトルや行列など線形代数の演算に相当する（詳細は第2章で）。

これにより量子並列性を利用した超高速計算が実行されるが、その途中の様子を外部から観測することはできない。

最終的には超伝導量子ビットにおける波の「干渉」と呼ばれる現象を使って、並列に存在する無数の波を一つに絞り込む。これが量子コンピュータが導き出した解であり、これを観測した時点で再び「0」と「1」が交互に並んだ（古典的な）ビット列、つまり我々が普通に認識できる状態になっている。

2023年が実用化へのターニングポイント

2021年7月、川崎市の「かわさき新産業創造センター」で稼働を開始したIBMQは、東京大学を中心に産業界と共同で設立した「量子イノベーションイニシアティブ協議会」が各界企業による活用を促している。

同協議会には金融や自動車、エレクトロニクス、化学をはじめ産業各界を代表する主要企業や大学など14団体が名を連ねている。たとえば、みずほフィナンシャルグループや三菱ＵＦＪフィナンシャル・グループといった金融機関ではポートフォリオの最適化やリスク管理、トヨタなど自動車メーカーではＥＶ（電気自動車）用電池の開発や渋滞回避システム、三菱ケミカルなど化学メーカーでは画期的な新素材の開発などに、量子コンピュータが大きな力を発揮すると考えられている。

ただし「かわさき新産業創造センター」にあるＩＢＭＱはまだ27量子ビットと、率直に言って実用機というより未だ試験機レベルの製品だ（この点は、ＩＢＭ以外のメーカーがこれまでに開発した量子コンピュータも同じだ）。したがって協議会の主な目的は、将来、もっと実用的な量子コンピュータが本格的に普及する時代に備え、今から使い始めることで量子コンピュータに習熟した人材を育成したり、情報交換を図ることだという。

一方、ＩＢＭ内部での製品開発はそれより遥か先を進んでいる。２０２１年には、１２７量子ビットの量子プロセッサ「イーグル」を発表した。量子プロセッサとは、量子コンピュータの中核部として量子計算を行う小型チップ（集積回路）のことだ。今後、２０２２年には４３３量子ビットの「オスプレイ」、翌２０２３年には１１２１量子ビットの「コンドル」をリリースする予定だ。

ＩＢＭの上級副社長・研究部門責任者であるダリオ・ジル博士によれば、コンドルでは量子計算の誤りを訂正するソフトウエア機能が追加される点が大きな進化だという。

一般に量子コンピュータがスパコンをはじめ古典コンピュータの性能を圧倒的に凌駕する「量子超越性」を達成するには、最低でも数百万個の量子ビットが必要と見られている。しかし、たとえ１１２１量子ビット程度でも、ソフトウエアで誤りを訂正することにより「創薬」や「材料工学」など一部分野では、量子コンピュータが（現在の単なる試験運用を超えて）実益を生み出せるかもしれないという。このためコンドルがリリースされる２０２３年は、量子コンピュータが実用化へ向かうターニングポイントになるとジル博士は主張する。

ただ、改めて断るまでもないが、製品を開発するメーカー側による、この種の発言は言わば宣伝であり、額面通りに受け止めることはできない。今後、量子ビットの数が徐々に増加するなかで、一般人にも理解できる何らかの実用的メリットが証明されなければ、ここ数年で急激に盛り上がった量子コンピュータのブームが逆に萎(しぼ)んでしまう恐れもある。

ブームの火付け役となったスタートアップ企業

話は前後するが、世界的に見て初期の量子コンピュータ開発をリードしたのは、このＩＢＭやヒューレット・パッカード、ハネウェルのような米国の巨大ＩＴ企業、あるいはノースロップ・グラマンやＢＢＮテクノロジーズなど軍需メーカーだった。

ただ、これら巨大企業の取り組みは、ＩＢＭが２００１年に（前述の）７量子ビットを試験管の中で作り出して「15を3と5に素因数分解しました」といった類の、言わば純粋な基礎研究レベルに止まっていた。

当時は確かに、量子力学の原理が情報処理（コンピュータの計算方法）に応用できることはわかっていたが、そうした量子計算機が本当に作れるかどうかは誰にもわからなかった。仮にできるとしても、本格的な量子コンピュータが実際に登場するのは何十年も先になる、というコンセンサスがほぼ確立されていた。

関係者同士の内輪の会話では「それは50年先」と言う科学者もいれば、「いやいや、それではあまりに先の話すぎて誰からも相手にされないから、せめて30年先にしておこう」と提案する専門家もいた。

つまり一般社会や産業界で使い物になる、実用的な量子コンピュータを本気で作ろうとしている研究者は大学や企業等を通じて皆無だった。それでも「ある程度の関心を引いて、研究費を獲得できればそれでいいか」という雰囲気が関係者の間にはあった。

こうした「ぬるま湯」的状況は２０１０年頃まで続いたが、そこに活を入れたのが、カナダのスタートアップ企業「D-Wave Systems（以下、Ｄウェイブ）」である（写真４）。

写真４　Ｄウェイブが2017年に発売した「Ｄウェイブ 2000Ｑ」
出典：https://dwavejapan.com/

Ｄウェイブは１９９９年、カナダのブリティッシュ・コロンビア大学で物理学を専攻する大学院生ジョーディ・ローズ氏らによって設立された量子コンピュータ・メーカーだ。

創業後しばらくは、ほとんど注目されなかったが、２０１１年に同社の第１号機となる１２８量子ビットの計算機「Ｄウェイブ１(D-Wave One)」、２０１３年には第２号機となる５１２量子ビットの「Ｄウェイブ２(D-Wave Two)」を発売して一躍脚光を浴びた。

その主な理由は、グーグルがこの〝謎の計算機〟を自らの研究業務に導入したからだ。

グーグルは２０１３年5月、ＮＡＳＡ(米航空宇宙局)のエイムズ研究センター内に両者共同で「量子ＡＩ研究所(Quantum Artificial Intelligence Lab)」を立ち上げた。

ここで「ディープラーニング」のような最先端の機械学習技術を研究し、この成果を「音声認識」や「ウェブ検索」「自動運転」など一連の開発に役立てていく。その過程で「Dウェイブ2」が使われることになった。

また、グーグルに先立ち、航空機・軍需メーカー大手の米ロッキード・マーティンもDウェイブ製品の導入を決めていた。航空機に搭載されるソフトウエアのデバッグ（誤り修正）等に使う予定だった。

それまで無名のスタートアップ企業に過ぎなかったDウェイブは、これら世界的な著名企業に採用されたことで一気に信用と知名度が高まった。

ただ、一般人はともかく、物理学者のような専門家は当時、Dウェイブの製品を一種眉唾で見ていた。その多くは「これは本物の量子コンピュータではない」、つまり「本当に量子力学の原理に従って計算しているわけではない」と考えていた。

その理由の一つは、Dウェイブが当初、自社の研究内容に関する学術論文を発表しなかったことにある。自社製品を売り込むための派手なプレスリリースを報道各社に送りつけるばかりで、それを学術的に裏付ける論文を発表しないようでは専門家の信用を勝ち得るのは難しい。

その後、Dウェイブは論文を発表するようになるが、当初専門家の頭に焼き付いた同社に対するネガティブなイメージはしばらくの間消え去ることがなかった。

もう一つの理由は、Ｄウェイブのマシンが当時、他の競合メーカーが開発していた量子コンピュータとは隔絶したスペックを誇っていたからだ。この頃になっても、未だＩＢＭをはじめ名の通ったメーカーの量子計算機は、せいぜい10個足らずの量子ビットを搭載した試作機レベルに止まっていた。

そうしたなか、それまでほとんど知られていなかったカナダのスタートアップ企業が、いきなり１２８～５１２個という桁違いの量子ビットを搭載した実用機を製品化した、と聞かされても、専門家がにわかに信じなかったのは当然だろう。

注目を浴びた日本人研究者の「量子アニーリング」方式

これに対し当のＤウェイブは、量子コンピュータを実現する方式の違いを主な理由として、自らのマシンが本当に量子力学の原理に従って計算していると主張した。

１９８５年に英国の物理学者デイヴィッド・ドイッチュが最初に本格的な量子計算理論を発案して以来、量子コンピュータの研究開発はもっぱら「量子ゲート」と呼ばれる方式に基づいて進められてきた。[*7]

より詳しい解説は第2章に譲るが、量子ゲートとは要するに、パソコンからスパコンまで従来の汎用デジタル計算機の基本素子（部品）である「論理ゲート」と呼ばれるものを、量子力学の原理で再構成したものだ。当初から現在に至るまで、日米をはじめ世界の量子コンピュータの大多数が、この「量子ゲート」方式に基づいて研究開発されている。言わば、量子コンピュータの主流方式だ。

これに対しDウェイブの量子コンピュータは、「量子アニーリング」と呼ばれる全く別の方式に基づいて作られている。これは1998年、東京工業大学の西森秀稔教授（当時）らが考案した量子計算アルゴリズムだ。[*8] これを日本のメディアが盛んに報じたためか、西森氏はかなり有名になり、2021年には紫綬褒章を受章している。

この西森氏とは筆者も多少関わりがある。

筆者は2013年5月、講談社の「現代ビジネス」というウェブメディアに「グーグルが導入した量子コンピュータとは何か」というタイトルの記事を寄稿（掲載）し、その中で前述のDウェイブが開発した量子コンピュータを紹介した。

筆者は当時、記事の末尾に自分のメールアドレスを公開していたので、この記事を読んだ西森教授が数日後、筆者宛てに直接メールを送ってこられた。その中で「実は、D-Waveのシステムが採用している計算原理量子アニーリングは、私の研究室で1998年に提案した方式です」と自ら売り込んでこられたのだ。

また同じメールの中で「ただ残念ながら、日本では量子アニーリングが日本発のアルゴリズムだということがあまり知られておらず、むしろ欧米のほうがきちんとした評価をしています」とも述べている。

筆者は大学で物理学を専攻していたので、その研究の価値や重要性がすぐに理解できた。「これは面白い」と思ったので、さっそく、東工大の西森研究室まで出向き、そこで教授から詳しい話を聞いて、後日「D-Waveの量子コンピュータは本物か？　その基礎理論を考案した日本人科学者に聞く」という記事を同じく現代ビジネスに寄稿した。

するとまもなく、旧知の日経BP社記者・中田敦氏と別件で会った折、「あの記事を読んで、私も今度、西森教授にお会いして取材することにしました」と伝えられた。これで仁義を切ったということだろう。実際、その取材結果は「日経コンピュータ」誌の「NASA、Googleの秘密兵器　驚愕の量子コンピュータ」という特集記事となった。

この記事で中田記者は「D-Waveが期待通りの性能を出すことができれば、現在のビッグデータ活用が子供の遊びに思えてくるほどの、計り知れないビジネス上のインパクトがもたらされる。そんなD-Waveに、日本の研究や技術が大きく寄与していたことを知っているだろうか」と西森教授やその業績を紹介。これ以降、新聞やテレビなど主要メディアが次々と報道して、一気に教授と量子アニーリングの知名度が高まったのである。

ちなみに日本で量子ゲート方式の計算機を開発する研究者の間では、量子アニーリング方式について、「あれを量子コンピュータと呼んでいるのは日本だけ。海外の専門家は量子アニーリング・マシンと呼んでいる」とする論調もある。

しかし、少なくとも筆者が読んだニューヨークタイムズなど米国メディアの記事では、量子アニーリング方式に従うDウェイブの製品も「量子コンピュータ」と呼んでいる。もっとも「新聞記者は専門家ではないので必ずしも正しいとは限らない」と言われればそれまでだが。

実際、この種の次世代計算機が微妙な立ち位置にあるのは間違いない。

周囲の評価が〝複雑〟な理由

量子アニーリングは一種のアナログ計算方式であり、汎用デジタルの論理ゲート方式に比べて応用範囲が限られている（一般的にアナログ計算機は汎用というより、特定用途に使われることが多い）。具体的には有名な「巡回セールスマン問題」など、いわゆる「組み合わせ最適化」と呼ばれる問題に特化した方式だ。

また、コンピュータが計算の誤りを自ら訂正する「誤り耐性」の理論も量子アニーリングでは確立されていない。誤り耐性が実現されなければ現実世界では通用しない、というのが多くの専門家の見方だ。

これらの理由から、Dウェイブが創業した当時、量子アニーリングの基礎研究はなされていたものの、これを使って実用的な量子コンピュータを開発しようとする試みは他に見当たらなかった。

実際、Dウェイブが製品を発売するまで、IBMやヒューレット・パッカード（2015年の分社化以前）など主力メーカーはいずれも量子ゲート方式のマシンを開発していた。しかし同方式の問題は、外部ノイズの影響を受けやすく不安定であるため、せっかく作った量子ビットがすぐに壊れてしまうことだった。

Dウェイブも創業当初は量子ゲート方式のマシンを開発することから始めたが、まもなく、その難しさを思い知らされた。そこでDウェイブの共同創業者で最高技術責任者（CTO）でもあるローズ氏は「量子ゲート」方式に見切りをつけ、それとは異なる量子アニーリング方式で実機開発に取り組むことにした。

量子アニーリングはエネルギーの「基底状態」と呼ばれる非常に安定した状態を扱う技術なので、一旦作り出した量子ビットを維持しやすい。これが量子ビット数を（IBMなど競合他社に比べて）大幅に増やすことができた主な理由である、とDウェイブは説明した。

こうしたDウェイブの反論を実験的にサポートするデータも開示された。

同社は2013年に米アマースト大学のキャサリン・マッギオーク教授に依頼して、Dウェイブ2の性能評価テストを実施した。その結果、ある種の最適化問題に対し、Dウェイブの量子コンピュータは従来型コンピュータ（古典コンピュータ）の3600倍もの処理速度を示したという。

ただ、一口に従来型コンピュータといっても、下はパソコンから上はスパコンまで色々な種類がある。Dウェイブはそれを具体的に明かさなかったが、後日、米ニューヨークタイムズ紙が報じたところでは、その「従来型コンピュータ」とはマッギオーク教授が普段研究室で使っている「IBM PC（パソコン）」であった。

つまり同教授が「3600倍の処理速度」と評価したのは、Dウェイブ製マシンをパソコンと比較した結果だった。これに対する周囲の評価は複雑だ。

確かに教授のIBM PCは研究用のマシンである以上、一般の家庭用パソコンよりは上位機種の製品であろうが、パソコンは所詮パソコンに過ぎない。古典コンピュータの中でも高速なスパコンやメインフレーム等と比較したのならともかく、実際にはパソコンを相手に、その3600倍の速さで計算できたといっても、それだけでDウェイブのマシンが本物の量子コンピュータであると主張するのは無理がある。

しかし、そんなDウェイブをグーグルが側面から支援した。

２０１５年12月、グーグルとＮＡＳＡは共同記者会見を開催。そこで「過去2年にわたる運用の成果等から、Ｄウェイブの量子コンピュータは従来の計算機に比べて1億倍高速であることが確かめられた」と発表した。

が、このときも「従来の計算機」が具体的にどんな種類のコンピュータであるかを明らかにしなかった。計算速度等についての実質的な意味がある発言というより、自分たちが実施している研究のインパクトを世間にアピールする一種のブラフと見るのが妥当だろう。

その後、Ｄウェイブは２０１７年に２０００量子ビットの「D-Wave 2000Q」、２０２０年には５０００量子ビットの「D-Wave Advantage」を発売した。

一方、量子ゲート方式の開発を進めるＩＢＭが、２０２１年にリリースした量子プロセッサ「イーグル」は１２７量子ビットだ。これと比べるとＤウェイブの製品は随分先を行っているように見えるが、実際は方式が違うのだから単純比較はできない。

日本で量子ゲート方式の計算機を開発する研究者が「Ｄウェイブの製品は量子コンピュータではなく量子アニーリング・マシンだ」と区別したがるのは、恐らく、この辺りに理由があるのだろう。

これらＤウェイブの製品は現在、金融機関や自動車メーカーをはじめ様々な業界の企業が試験的に導入・利用している。

２０２１年10月、Ｄウェイブはこれまでの量子アニーリング方式に加え、今後は量子ゲート方式のマシンも開発していく方針と発表した。量子コンピュータ開発のパイオニアとして知られるようになった同社といえども、実際にはいくつかの異なる技術方式を試行錯誤する研究段階にあることを示唆している。

以上のようにＤウェイブ製のマシンに対する周囲の評価は微妙だ。しかし、このＤウェイブに突如集まった世間の注目がＩＢＭなど世界的な巨大企業を刺激して、それまで「ぬるま湯状態」に甘んじてきた量子コンピュータの開発を、本気モードへと転換させるきっかけになったのは間違いない。

グーグルの手のひら返しとブレークスルー

その後、このＤウェイブ以上に大きなインパクトを関係業界に与えたのは、やはりグーグルだった。（前述のように）グーグルは２０１３年、ＮＡＳＡと共同で立ち上げた量子ＡＩ研究所にＤウェイブ製のマシンを導入。これを実際に使ってみることから、量子コンピュータの研究をスタートした。

翌２０１４年には量子コンピュータの自主開発に乗り出し、超伝導量子ビット研究の第一人者と目されるカリフォルニア大学サンタバーバラ校のジョン・マルティニス教授の研究チームを丸ごと雇用。彼らを中心に、超伝導量子ビットに基づく量子ゲート方式の技術開発に着手した。

当初は、これと並んで量子アニーリング方式の研究開発も進めるとしていた。が、実際にDウェイブの製品を使い込んでみたところ、事前に期待したほどの成果は望めないことが判明したので、以降は量子ゲート方式の開発に注力することになった。2015年にはDウェイブの製品を「従来型コンピュータの1億倍の性能」と持ち上げておきながら、その方式をあっさり見捨てた感もあるが、恐らくはグーグルもいざ自主開発の段階に入ると、より厳密な評価を行ったということだろう。

当時、量子コンピュータ開発における最大の課題は、(これまで述べてきたように)「誤り訂正」と呼ばれる技術の確立だった。

これは20世紀半ばに開発された「エニアック」など初期の古典コンピュータと通じるところがある。これら生まれたての汎用デジタル計算機は、かなりの頻度で誤作動による計算のエラー(誤り)が発生した。

これに対し当時、米国のベル研究所に在籍していた数学者リチャード・ハミングが「誤り訂正符号」と呼ばれる方式を開発した。これはビット情報をコピーして冗長化する技術である。たとえば「0」と「1」の代わりに「000」「111」と3ビットを使えば、そのうちの1ビットが誤って反転（0が1に、1が0になること）しても残り2ビットは正常なので、多数決をとればビット情報全体ではエラーを回避できる。

こうした先人の功績により、古典コンピュータはようやく本当に使い物になる製品へと脱皮することができたのだ。

一方、量子コンピュータも古典コンピュータと同じく、当初から誤作動による計算エラーが発生することが指摘されていた。

量子コンピュータを実現するには、「量子重ね合わせ」と「量子もつれ（entanglement）」と呼ばれる量子現象を組み合わせて使う必要がある。つまり同時に「1」と「0」の両状態を取り得る量子ビットが、何個ももつれあって互いに影響を及ぼし合いながら変化するしくみだ（詳細は第2章で）。

ところが、この「量子重ね合わせ」と「量子もつれ」を同時に実現することは技術的に困難を極め、たとえ成立したとしても、その状態は数マイクロ（100万分の1）秒程度で破綻して計算結果に誤りが生じてしまう。これは量子ゲート方式の計算機において深刻な問題となることが理論的に指摘された。

この問題に対し、1994年に素因数分解用の量子アルゴリズムを開発した数学者のピーター・ショアは、翌1995年に量子コンピュータ用の誤り訂正符号を開発。詳しくは

第2章に譲るが、ここでもやはり誤り訂正用の量子ビットを追加することによって計算エラーを訂正する。

ただ、これはあくまで理論であって、それを実際の技術へと転化させることは困難を極めたが、その20年後、一筋の光が差し込む。

2015年、グーグル量子AI研究所のマルティニス教授らのチームが、この長年の懸案への解決策を提示したのだ。[*9] 彼らは「射影的量子計測（projective quantum measurement）」という手法を繰り返し適用することによって、全体で9量子ビットという極めて小規模な量子計算システムではあるが、その誤りを訂正することができたという。

日本とはケタが違う「中国・米国の予算」

ただし、そこには重要なただし書きがついている。仮に、この方式で将来、実世界の問題に適用できる本格的な量子コンピュータを開発するには、誤り訂正用に非常に多くの量子ビットが必要になるということだ。

それでも、「誤り訂正」問題への基本的な解決策が提示されたことで、世界各国における量子コンピュータ開発に大きな弾みがついた。これによって、どんな目的にでも誤りを自ら直しながら正確に計算できる汎用「誤り耐性」量子コンピュータを実現する目途がついたからだ。

　こうしたグーグルの参入が、量子コンピュータ業界に与えた影響は計り知れないほどに大きい。それまで大学や企業等の研究室で、「量子コンピュータなど本当に作れるはずはない」と諦めていた科学者たちが、手のひらを返したように「我々も近い将来、量子コンピュータを作れる」と言いだした。つまり業界の雰囲気が一変したのである。

　ＩＢＭやハネウェルなど巨大企業は確かに長年量子コンピュータを研究してきたが、それまでは資金と人員に余裕のある巨大企業ならではの一種「趣味」的な研究に止まっていた。しかしグーグルの参入を境に、これらの企業もそれまでとは比べ物にならない巨額の予算をつけ、具体的な開発ロードマップを公開するなど、突如として量子コンピュータの開発に本腰を入れ始めた。

　その影響は企業レベルを超えて、主要各国・地域の産業政策にまで及んだ。

　中国政府は２０１７年頃に、約１００億ドル（1兆1000億円以上）をかけて、完成後には世界最大となる国家量子情報科学研究所（National Laboratory for Quantum Information Sciences）の建設に着手した。ここでは暗号解読、あるいはステルス潜水艦の量子ナビゲーションシステムなど、軍事目的に重点を置いた量子情報技術を優先的に開発すると見られている。

　これに対し米国のトランプ政権（当時）は２０１８年、「国家量子イニシアティブ法」を施行し、5年間で約12億ドル（1300億円以上）を量子コンピュータや量子暗号などの技術に投資することを決定した。

EU（欧州連合）もまた2018年、「量子フラグシップ」と呼ばれる10年計画を立ち上げた。総額10億ユーロ（約1300億円）をかけて「量子コンピュータ」や「量子通信」など5つの分野にわたる量子技術を重点的に開発していく。この予算は域内各国で量子技術を研究する約5000名の研究者に配分されるという。他にも英国やオーストラリア、ロシア、インド等が巨額の国家予算を投じて量子技術の開発を進めている。

こうしたなか、日本政府は2018年、「ムーンショット型研究開発事業」の一環として量子コンピュータを重点項目に取り上げた。政府の有識者会議も、2039年の実用化を目指す「量子コンピュータの開発ロードマップ」を盛り込んだ国家戦略案をまとめた。

2020年には「量子技術イノベーション戦略」を策定し、量子コンピュータに加えて量子暗号・通信、量子センシング、量子マテリアルなどの分野に重点投資することを決めた。

このために各地の大学など主要な研究機関に、量子技術の開発拠点を設けるという。量子関連予算は2019年度に160億円が計上されたが、20年度には約340億円と2倍以上に膨らみ、21年度はさらに増額して約360億円を充てることとなった。さらに2022年4月には内閣府の「統合イノベーション戦略推進会議」で、国産の量子コンピュータの初号機を22年度内に整備する目標を掲げた。

グーグルvs.IBMの激しい応酬

一方、こうした世界的ブームを巻き起こした当事者グーグルは2019年10月、「量子コンピュータ開発のブレークスルーとなる量子超越性を達成した」と英国の科学雑誌ネイチャーに発表した。*10

(前述の)マルティニス博士の指揮の下、グーグルが開発した53量子ビットの量子プロセッサ「シカモア(Sycamore)」は、当時世界スパコン・ランキングで首位にランクされたIBM製の「サミット」でも1万年以上かかる特殊な計算問題を、わずか200秒(3分20秒)でやり終えたという。

しかし、この主張に対してはIBMが即座に反論した。グーグルが「サミットなら1万年かかる」とする計算問題は、実はもっと短時間で解けるというのだ。サミットに大容量の記憶装置を追加して使う等の工夫により、実際には2日半あれば計算が終わるという。要するに「この程度の計算問題では量子超越性を達成したことの証しにならない」とIBMは言いたいわけだ。

第三者的な立場にある科学者たちの中にも、グーグルの主張には当惑する人が少なくなかった。というのも、この実験でグーグルの量子プロセッサ（コンピュータ）が行った計算はある種の乱数の生成に過ぎなかったからだ。乱数は確かにパスワードや暗号鍵の生成など限られた用途には使えるかもしれないが、それを除けば特に実用に供するというものではなかった。

逆に「新薬や新素材」の開発など非常に有用な目的で、量子コンピュータがスパコンを圧倒することが検証された等という成果が報告されれば、周囲の科学者らも心からグーグルを支持したであろうが、実際はそうではなかったのだ。

こうした冷めた見方に対し、グーグルは「20世紀初頭のライト兄弟による人類初の有人飛行」に例えて、自らの〝偉業〟を訴えた。

1903年、米国のライト兄弟が12馬力の簡素な複葉機でわずか37メートル、時間にして12秒間の飛行に成功したとき、それが一体何の役に立つのか理解した人は少なかった。しかし、それから100年以上が経過した今、旅客・運輸・観光から宇宙開発に至るまで、飛行技術の社会・産業的な有用性を疑う人はいない。グーグルの量子コンピュータもいずれこれと同じ道をたどるだろう、と。

またIBMからケチがつけられた件でも、「仮に1万年が2日半になったところで、200秒との差は大きい。たとえ実用性に乏しい計算でも、（当時）世界最速のスパコンにグーグルの量子コンピュータが圧倒的大差をつけて勝利したことはマイルストーンに値する」との見方もあった。

実際2010年頃までは、世界で「量子コンピュータを作れる」と本気で信じている人はほぼ皆無であったことを考えれば、それからわずか10年足らずで（実用性に乏しいとはいえ）何らかの計算において量子コンピュータがスパコンに勝利した、というのは素直に驚くべきことかもしれない。

調査会社ガートナーのアナリストは「最近5年間で量子コンピュータに起きたイノベーションは、それ以前の30年間に蓄積された成果を上回っている」として、技術革新が急加速していることを指摘する。グーグルの「量子超越性」実験は、それを世間に印象付けたと見ることができるだろう。

ちなみに、2014年からグーグルで量子コンピュータ開発のリーダーを務めてきたマルティニス博士は、量子超越性の達成を発表した翌年となる2020年に同社を退社。同年9月から、オーストラリアの量子スタートアップ企業で顧問職を務めている。

別路線を歩むマイクロソフトの意図

ここまで紹介したIBMやグーグル等の取り組みによって、かつては科学者の夢に過ぎなかった量子コンピュータはわずか10年足らずの間にかなり現実へと近づいた。

しかし、そこに立ち塞がった厚い壁が本格的な「誤り訂正（誤り耐性）」技術の確立だった。（前述のように）グーグルはそこに一つの打開策を提示したとはいえ、それはわずか9量子ビットの小規模な量子計算システムに過ぎなかった。

もっと大規模で本格的な「誤り耐性」量子コンピュータを（グーグルやＩＢＭが採用した）超伝導量子ビット方式で実現するには、集積回路の基板上で多数の量子ビットを複雑に配線する必要があるなど実現が難しかった。

この長年の懸案に対し、主流の超伝導量子ビットとは異なる方式で対処しているのが米国のマイクロソフトだ。

量子コンピュータに対するマイクロソフトの取り組みもまた、かなり以前まで遡る。２００６年、同社はカリフォルニア大学サンタバーバラ校に「ステーションＱ」と呼ばれる研究拠点を設け、ここで産学連携による量子コンピュータの共同研究を開始した。

このカリフォルニア大学サンタバーバラ校とはグーグルも共同研究を進めてきたが、相手となる研究者がマイクロソフトとは異なる。（前述のように）グーグルは同大のジョン・マルティニス教授とその研究チームに所属する博士研究員や大学院生らを一括採用し、彼らに超伝導量子ビット方式の量子コンピュータの研究開発を事実上任せた。

これに対し、マイクロソフトが共同研究の相手に選んだのは、米国の数学者マイケル・フリードマン博士やオランダの物理学者レオ・カウウェンホーフェン博士ら一群の研究者だ。彼らがカリフォルニア大学サンタバーバラ校のステーションQで、マイクロソフトを言わばスポンサーにして量子コンピュータの研究開発を進めてきたというのが実情だ。

この研究チームの中心となったのは、本来オランダのデルフト工科大学に所属しているカウウェンホーフェン博士だ。彼らがステーションQで開発しようとしたのは、「マヨラナ粒子」と呼ばれる謎の物質に基づく量子コンピュータである。

マヨラナ粒子は、1937年にイタリアの理論物理学者エットーレ・マヨラナがその存在を予言した素粒子だ。マヨラナ粒子は、自身とその反粒子が同一という奇妙な存在である。

ちなみに反粒子とは、おおむね自身と同じ粒子だが、唯一電荷など正負の属性が逆の粒子のこと。最もよく知られているのは「電子（電荷はマイナス）」の反粒子である「陽電子（電荷はプラス）」である。陽電子は、量子力学の相対論的な発展に寄与した英国の理論物理学者ポール・ディラック（シュレディンガーとともに1933年にノーベル物理学賞を受賞）が1928年にその存在を予言し、1932年に実験でそれが証明された。

これに対し、マヨラナ粒子の存在を証明する決定的な実験結果は現在に至るまで報告されていない（時々、それを示唆するような実験結果は報告されているようだ）。

そもそもマヨラナ粒子の特徴である「自身とその反粒子が同一」というのは「プラスとマイナスが同じ」ということを意味し、少なくとも素人目には完全に語義矛盾していることになるが、難解な数式を操る理論物理学者から見ると、マヨラナ粒子は「中性の準粒子」という例外的なケースとして成立し得るらしい。

ちなみに、この存在を予言した翌年となる１９３８年、マヨラナ博士はナポリへの船旅の途中で失踪し、そのまま行方をくらました。

この謎のマヨラナ粒子を使って量子コンピュータを実現しよう、とマイクロソフトに持ち掛けたのが、前述のフリードマン博士である。博士は１９８６年にフィールズ賞を受賞するなど著名な米国の数学者で、専門は「トポロジー（位相幾何学）」と呼ばれる領域だ。

トポロジーは数学の中でも、特に物体や図形の連続的な変形について普遍的な性質を追究する学問である。

たとえば取っ手のついたコーヒーカップとドーナツには、それぞれ貫通した穴が一つあるが、野球のボールには穴がない。仮に粘土でドーナツの模型を作ったとすれば、それをグニャグニャと連続的に変形させてコーヒーカップにすることはできる。

これに対し野球のボールを連続的に変形させて、ドーナツやコーヒーカップにすることはできない。もしもボールをドーナツにしたいなら、ボールに刃物で穴を開ける必要があるが、これは連続的な変形とはいえない。

したがってドーナツとコーヒーカップは同じグループに属し、野球のボールはそれらとは異なるグループに属する。そして、そうした分類の指標となるのが「穴」の有無である。このような研究をする学問がトポロジーだ。

このトポロジーを応用した新たな量子コンピューティングの可能性を最初に提示したのは、ロシア出身の米国の理論物理学者アレクセイ・キタエフ博士だ。[*11] そして「この方法を使って新しい量子コンピュータを作ろう」とマイクロソフトに持ち掛けたのがフリードマン博士なのである。

それは2005年頃と見られているが、トポロジー的な分類の技術によって量子ビットを保護すれば、自然界に存在する微弱な電磁場など環境ノイズによる計算の誤りを回避できるというのだ。彼らはこれを「トポロジカル量子コンピューティング」と呼んだが、この方式を採用すれば量子コンピュータの最大の課題である「誤り耐性」技術を劇的に改良することができるという。一方、マイクロソフト側でこの提案を受けたのは、それまで同社でゲーム用基本ソフトや車載システムなどの開発管理を担当してきたクレイグ・マンディ氏（現在は同社の上級顧問）だ。

実務家肌のマンディ氏を一体どうやって説得したのかわからないが、フリードマン博士は謎めいた「トポロジカル量子コンピューティング」のアイディアをマンディ氏に呑ませ、翌2006年にマイクロソフトは（前述の）「ステーションQ」という量子研究所を設立。フリードマン博士はその初代所長に就任し、ここで数十名に上る精鋭の数学者や物理学者を雇って「トポロジカル量子コンピューティング」の研究に着手した。

マイクロソフトの加速と暗転

この新たな方式では、「エニオン（Anyon）」と呼ばれる不可思議な素粒子によって量子並列性、つまり量子コンピュータならではの超高速性を実現するとしている。

エニオンは「2次元」の存在である。本来、私たちが生きる3次元の世界では、半整数のスピン（量子化された角運動量の一種）を持つフェルミ粒子（フェルミオン）と、整数のスピンを持つボース粒子（ボソン）の2種類しか存在しないことが量子力学によって証明されている。たとえば電子はフェルミオン、光を構成する素粒子である光子はボソンに分類される。

しかし特殊な条件下で出現する2次元世界には、それらいずれの範疇にも属さない新しい粒子、厳密には完全な粒子というよりは「準粒子」とも呼ぶべき不可思議な物質が存在する可能性がある。それがエニオンなのだが未だ理論あるいは仮説の域を出ないため、マイクロソフトの取り組みは、かなりリスキーなプロジェクトであると周囲からは見られた。

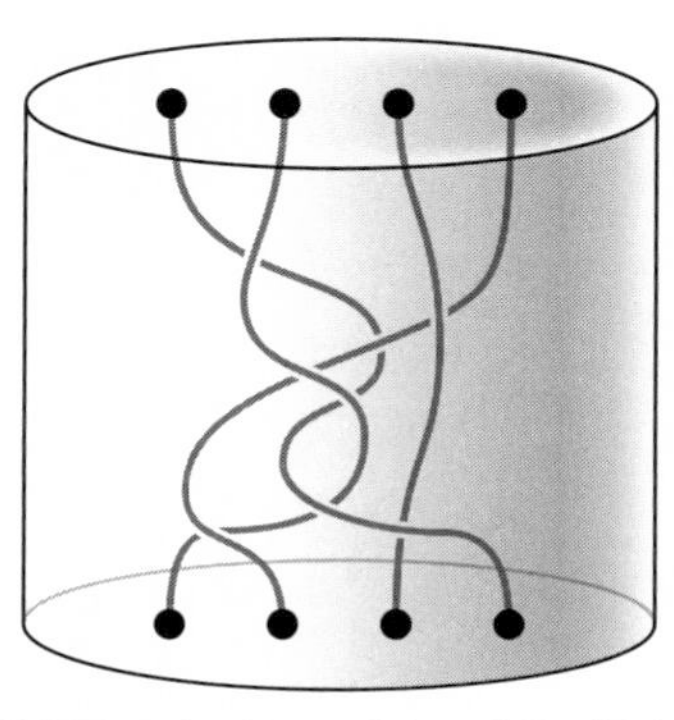

図6　低次元トポロジーにおける「組み紐（braid）」

このエニオンの一種が（前述の）マヨラナ粒子である。この2次元の準粒子は、低次元トポロジーの一種である「組み紐（braid）」理論に従って量子ビットを作り出すことができると見られた。この理論における「組み紐」とは、垂れ下がった何本かの紐を適当に編んでできる図形を抽象化した幾何学的な存在である（図6）。

この理論に基づく量子ビットを実現するには、極低温に保たれた実験装置内において、分子レベルのスケールで組み上げた「ナノ・ワイヤー」、つまりミクロな「組み紐」を作り出す必要がある。

これを列車の操車場で複雑に交錯する線路に見立てて、その上で列車（マヨラナ粒子）を操作すれば、量子ビットに必須の「量子もつれ」を実現できる。

しかも、それはトポロジーで巧妙に区分けされ保護された線路に沿って正確に移動するので、超伝導量子ビットなど他の方式よりも格段に誤り耐性が高いと考えられた。

しかし、（前述のように）このマヨラナ粒子は理論的に予言されているだけで、その存在は未だ確認されていない。この存在を実験で証明する必要があったが、そのためにマイクロソフトが白羽の矢を立てたのが、デルフト工科大学のカウウェンホーフェン博士だった。マイクロソフトは博士らの研究を資金的に援助し、その成果をステーションQでの量子コンピュータ開発に活かそうとした。

２０１２年、カウウェンホーフェン博士らの研究チームはナノ・ワイヤー上でマヨラナ粒子の存在を強く示唆すると見られる実験結果を米国の科学誌サイエンスに発表した。[*12] この論文は関係学会等で大変な反響を呼び、未来のノーベル賞候補との呼び声も高かった。

２０１６年、マイクロソフトはカウウェンホーフェン博士らを研究員として雇用するとともに、トポロジカル量子コンピュータ開発への投資を大幅に増額した。

ここからカウウェンホーフェン博士らの研究はさらに加速し、２０１８年にはついに「マヨラナ粒子を実際に観測した」とする実験結果を英ネイチャー誌に発表した。[*13]

その論文によれば、極低温のナノ・ワイヤーに一定の電圧をかけてからゼロに降下させると、電気伝導度が突如ピークに達することが理論的に予想される。この現象は専門的に「ゼロバイアス・ピーク」と呼ばれ、もしも実験でそれが確認されればマヨラナ粒子の動

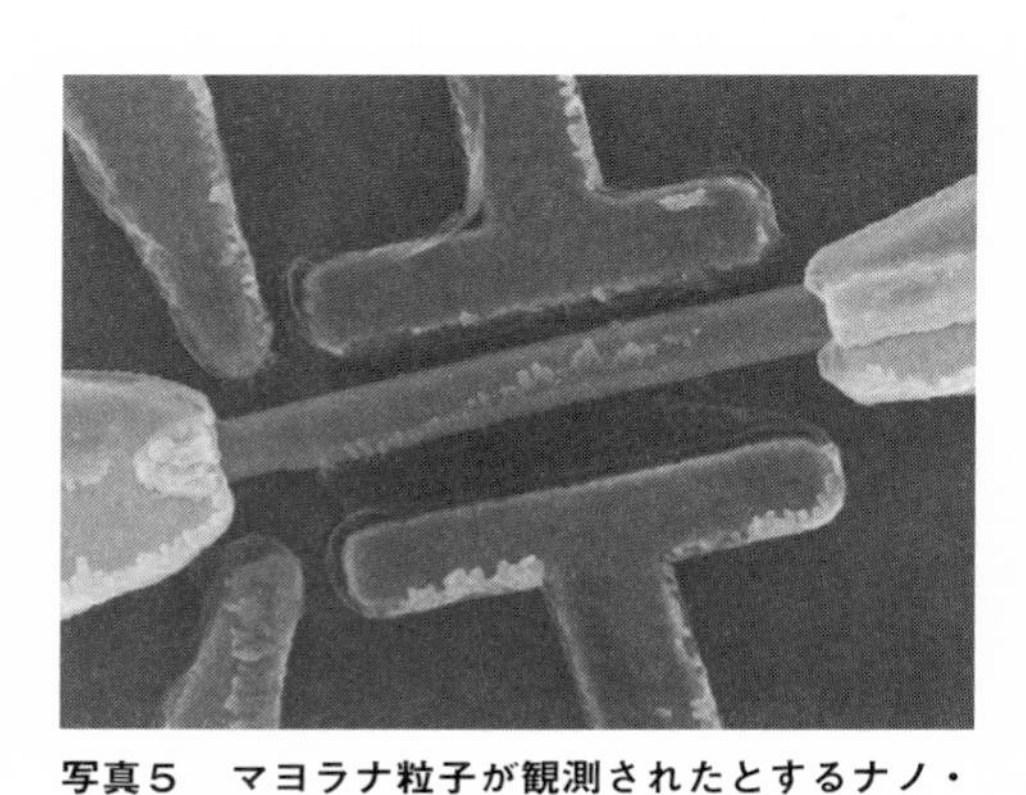

写真５　マヨラナ粒子が観測されたとするナノ・ワイヤー（写真中央にある細長いライン）

出典：https://www.nature.com/articles/d41586-021-00612-z

かぬ証拠となる。そしてカウウェンホーフェン博士らの研究チームは、実際に実験でその現象を観測したという（写真5）。

これで一気に勢いを得たマイクロソフトの開発責任者は「今後5年以内に（ＩＢＭやグーグルを追い越して）商業用の量子コンピュータを提供できるかもしれない」と語った。

しかし、ここから事態は暗転する。２０１８年に発表されたカウウェンホーフェン博士らの論文を読んだピッツバーグ大学の物理学者セルゲイ・フロロフ博士が、「この論文にはデータ処理に不自然な点が見受けられる」とするクレームをつけた。科学的な詳細は割愛するが、要するにゼロバイアス・ピークを示すとされるグラフにおいて、実験では測定されながらも理論的な予想に反する一部データが意図的に省かれているのではないか、というのだ。

フロロフ博士はカウウェンホーフェン博士らの研究チームから実験の生データを取り寄

せ、その疑いを検証したところ、はたして都合の悪いデータが省略されていることを確認した。もしもこれらのデータをプロット（観測値などを点でグラフに描き入れること）した上で改めてグラフを作成すれば、マヨラナ粒子の証拠となるゼロバイアス・ピークは出現しないことになる。

フロロフ博士は、この検証結果をネイチャー誌に発表。同誌編集部は2020年4月、カウウェンホーフェン博士らの論文の信憑性に対する「懸念」を表明する記事を同誌に掲載した。

これを受けて2021年1月、カウウェンホーフェン博士らの研究チームは2018年の論文からは省略されていたデータを含む論文を新たに発表。[14]この中でマヨラナ粒子は実験では観測されなかったことを認めた上で、2018年に発表した論文を撤回した。

また、カウウェンホーフェン博士が所属するデルフト工科大学は2020年5月、研究倫理委員会による調査を開始。翌2021年3月には調査報告書を公表し、その中で「（2018年の論文には）意図的な捏造を裏付ける証拠は存在しなかったが、（カウウェンホーフェン博士ら）論文の著者が選んだ研究テーマは極めて自己欺瞞に陥りやすいものであり、著者らはそれに対する警戒を怠った」とする見解を述べた。

将来のノーベル賞候補とも目された研究者を雇用し、その力を借りることで大きく前進したかに見えたマイクロソフトによる量子コンピュータの開発プロジェクトは、その論文が撤回に追い込まれたことで大きな打撃を受けたと見られている。

しかしマイクロソフトは、トポロジカル量子コンピューティングの研究開発を今後も続行するとしている。

一般ユーザーも使用可能なクラウド量子サービスの現状

マイクロソフトは「マヨラナ粒子」など、ある種リスキーなアプローチで量子コンピュータの自主開発を進める一方、より地に足のついた堅実な取り組みで量子計算サービスの普及も図っている。

２０１９年11月、マイクロソフトは米国のスタートアップ企業「ＩｏｎＱ（イオン）」や大手ハイテクメーカー「ハネウェル」などが開発した量子コンピュータを、「Azure Quantum」と呼ばれるクラウドサービスとして産業各界の企業に提供し始めた。

このうちＩｏｎＱは、米メリーランド大学等で開発された「イオン・トラップ」と呼ばれる量子ビット技術に基づく量子コンピュータの開発を進めている（詳細は第2章で）。２０２１年の段階では22量子ビットと未だ試験機レベルだが、自主開発した量子コンピュータをすでに製品化している。販売価格は明らかにされていないが、少なくとも１０００万ドル（11億円以上）は下らないと見られている。

２０２１年10月、ＩｏｎＱは「ＳＰＡＣ：Special Purpose Acquisition Company（特別買収目的会社）」と呼ばれる手法を使ってニューヨーク証券取引所（ＮＹＳＥ）に事実上の上場を果たし、約６億５０００万ドル（７００億円以上）を市場から調達。その直後、同社の時価総額は約20億ドル（２２００億円以上）に達した。

マイクロソフトのクラウドサービスでは、これらスタートアップ企業が開発した量子コンピュータをお手頃な価格で様々な業界の企業が使えるようにするという。同社のホームページから実際の使用料金を見てみると、最初の１時間は（おそらくお試し利用ということで）無料。それ以降は、異なる用途や機能に応じて１時間当たり50～９００ドル（５５００円～10万円程度）とある。

後述するアマゾンでも同様だが、これらＩＴ大手が提供するクラウド量子コンピューティングサービスはインターネットを介して、顧客企業のオフィスにある業務用パソコン等から使える。量子コンピュータ自体は（前述のように）希釈冷凍機の内部に保管されたエキゾティックな大型計算機で、それを科学者ら専門家以外の一般ユーザーが直接目にすることはまずない。

しかしマイクロソフトなどＩＴ企業は、扱いにくい量子コンピュータと身近なクラウドサービスとの隙間を埋める親しみやすいアプリケーション・プログラミング・インタフェース（ＡＰＩ）を開発。これによって一般ユーザーが「Ｃ＋＋」や「パイソン」など、既存のプログラミング言語を使って量子計算用のアプリケーションソフトを開発できる環境を提供している。

すでに様々な業界の企業がこうしたクラウド量子サービスを利用している。

たとえば米国の自動車メーカー大手フォード・モーターはマイクロソフトの「Azure Quantum」を使って、市街地の交通渋滞を解消したり、目的地までの所要時間を最小化したりするアルゴリズムの開発に取り組んでいる。

日本の豊田通商と量子スタートアップ企業「Ｊｉｊ」も共同で、市街地の信号機のタイミングを最適化して、車両のスムーズな流れを促すなどの量子アルゴリズムを開発しようとしている。このような取り組みによって、クルマで移動中の待ち時間を最大２割短縮できる可能性があるという。

他にも金融、化学、新素材開発など様々な分野の企業が「Azure Quantum」のユーザーとなっている。ただ、（しつこいようだが）これらのユーザーは自社業務に本格的に量子計算を取り入れているわけではない。現時点ではあくまで、将来登場するであろう実用的な量子コンピュータの時代に備えて、今からそれを使い慣れておこうとするのが目的である。

猛追するアマゾンの焦り

これと同様のサービスは、米アマゾンもすでに提供している。

2020年8月、先行するIBMやグーグル、マイクロソフト等の後を追って、アマゾンはクラウド型の量子コンピューティングサービス「Amazon Braket」を開始した。対象とするのは、やはり自動車や化学、金融をはじめ様々な業界の企業である。

ちなみに同サービスの名称に含まれる「Braket」は、量子力学の理論や計算で広く使われている「ブラケット記法」に由来する（詳細は第2章で）。もともと、英国の理論物理学者ポール・ディラックが1939年頃に考案した伝統的な表記法だ。[*15] アマゾンは恐らく量子力学への深い造詣を示すために、サービス名にあえて、このブラケットという呼称を入れたのだろう。

Amazon Braketでは、米国の「IonQ」や「リゲッティ・コンピューティング」、さらにカナダの「Dウェイブ」などが開発した量子コンピュータをクラウドサービスとして提供している。

このうちリゲッティ・コンピューティングは、もともとIBMで量子コンピュータ開発に従事していた物理学者チャド・リゲッティ博士が2013年に起業したスタートアップ企業だ。ＩＢＭやグーグルと同じく、超伝導量子ビットに基づく量子コンピュータを開発している。２０２１年の段階で、やはり試験機レベルとはいえ32量子ビットの製品開発を成し遂げている。

このリゲッティ・コンピューティングも、２０２１年10月にＳＰＡＣで米ナスダック市場（ＮＡＳＤＡＱ）から約4億５０００万ドル（５００億円以上）を調達した。同社の株価はその後急騰し、同年11月に時価総額が約46億ドル（５３００億円）に達した（特別買収目的会社の社名変更など、ＳＰＡＣによる上場の手続きを正式に完了したのは２０２２年3月）。

アマゾンがこれら気鋭のベンチャー企業と手を携えて量子ビジネスに乗り出した背景には、クラウド業界における激しいシェア争いがある。

クラウドの元祖「ＡＷＳ（アマゾン・ウェブ・サービス）」で業界首位を走るアマゾンのシェアは、２０１８年の48パーセントから２０１９年には45パーセントと低落傾向にある。これに対し業界2位のマイクロソフトのシェアは、２０１８年の16パーセントから２０１９年には18パーセントへと上向いている。

そうしたなか、これらのクラウドサービスを使う顧客企業は、いずれ業務遂行能力を大幅にアップしてくれるであろう量子計算機への関心を募らせている。調査会社ガートナーに企業から寄せられる量子コンピューティング関連の問い合わせは、２０２０年には前年比で4割も増加して数百件に達したという。

アマゾンとしては、クラウド市場で追い上げるマイクロソフトが一足早く、そこに量子計算サービスを追加した以上、自らもそれを提供せざるを得なくなった。つまり量子コンピュータは、これらの巨大IT企業にとってもはや未来の存在ではなく、新たな顧客を招き入れる競争の道具となっているのだ。

量子コンピュータ実現に必要なのは「ギーク」

米国では投資信託大手のフィデリティ・インベストメンツが、デリバティブなど金融商品の開発に「Amazon Braket」の量子コンピューティングがどこまで使えるか、そのテスト（評価）を進めている。

金融業界をはじめ様々な分野における量子コンピュータの需要と重要性を痛感したアマゾンは、もはやスタートアップ企業が開発したマシンをクラウド経由で提供するだけでは物足りなくなった。

２０２１年10月、アマゾンはカリフォルニア工科大学のキャンパス内に「AWS Center for Quantum Computing」と呼ばれる研究所を開設し、ここで量子コンピュータの自主開発に乗り出した。

約2年の歳月をかけて建設された床面積1950平方メートルの同施設には、極低温冷却システムや屋内に張り巡らされた配線など、量子コンピュータの開発に必要な設備が整えられている。アマゾンはここで、精鋭の誉れ高いカリフォルニア工科大学の物理学者らと共同で、汎用「誤り耐性」量子コンピュータの開発を進めていく。IBMやグーグルと同じく「超伝導量子ビット」に基づくマシンを開発していく計画だ。

これを通じてアマゾンはカリフォルニア工科大学の研究を資金的に援助する見返りに、そこで開発された量子コンピュータ技術の知的所有権（IP）を得る。ただし一部のIPは同大と共有することもあるという。

カリフォルニア工科大学教授で量子アルゴリズム開発のリーダーでもあるフェルナンド・ブランダオ博士は「本校は量子コンピュータを作り出すために地球上でベストな場所の一つだ。しかし、それは大学の研究者だけでやれることではない。(アマゾンのような) 産業界の力が必要だ」と語る。

その両方が揃った今、本格的な量子コンピュータが実現する可能性はかつてないほどに高まっていると言いたいのかもしれない。が、先述のマイクロソフトとカウウェンホーフェン博士らデルフト工科大学との共同研究が事実上挫折したことからも見てとれるように、産学連携で英知と資金を結集したからといって、そこから「誤り耐性」量子コンピュータのようなブレークスルーを達成できる保証はない。

かつてグーグルで量子コンピュータの開発を指揮し、量子超越性の実験を成功に導いたカリフォルニア大学サンタバーバラ校のマルティニス教授（当時）は産学連携の難しさを次のように語る。*16

「大学の研究体制では学生は論文を書いて卒業する必要があるので、どうしても基礎的であったり、論文が書きやすいようなファンシー（見た目が派手）なテーマの研究をする必要がある。しかし、本当に量子コンピュータを実現したいなら、究極的なエンジニアリングをしなければならない。そのためにはファンシーなテーマに目もくれず、ただひたすら量子コンピュータの実現だけに興味があるギーク（オタク）たちが必要だ」

アマゾンはそうした個性的な人材育成をはじめ、未だ量子コンピュータ開発の出発点に立ったに過ぎない。その実力が試されるのはこれからだ。

続く第2章では、量子コンピュータの原理やしくみにまで踏み込んで、その実現可能性を探っていこう。

参考文献

＊1 "Coherent control of macroscopic quantum states in a single-Cooper-pair box," Y.Nakamura, Yu. A. Pashkin & J.S. Tsai, Nature, 29 April 1999
＊2 "Richard Feynman On quantum physics and computer simulation," Los Alamos Science, Number 27 2002
＊3 "Polynomial-time Algorithms for Prime Factorizations and Discrete Logarithms on a Quantum Computer," P. Shor, SIAM J.Computing, 26, 1997
＊4 "A Fast Quantum Mechanical Algorithm for Database Search," L.K. Grover, ACM Symposium on Theory of Computing(STOC), L.K. Grover, July 1996
＊5 "The Physical Implementation of Quantum Computation," D.P. DiVincenzo, Fortschr.Phys., 25 February 2000
＊6 "Experimental realization of Shor's quantum factoring algorithm using nuclear magnetic resonance," Lieven M.K. Vandersypen, et. al., Nature, 20 December 2001
＊7 "Quantum theory, the Church–Turing principle and the universal quantum computer," David Deutsch, Proceedings of the Royal Society, a Mathematical, Physical and Engineering Sciences, 08 July 1985
＊8 "Quantum annealing in the transverse Ising model," Tadashi Kadowaki and Hidetoshi Nishimori, Physical Review, 1 November 1998
＊9 "State preservation by repetitive error detection in a superconducting quantum circuit," J.Kelly, John M. Martinis, et.al., Nature, 04 March 2015
＊10 "Quantum supremacy using a programmable superconducting processor," Frank Arute, et.al., Nature, 23 October 2019
＊11 "Fault-tolerant quantum computation by anyons," A. Yu. Kitaev, Annals of Physics, January 2003
＊12 "Signatures of Majorana Fermions in Hybrid Superconductor-Semiconductor Nanowire Devices," V. Mourik, L. P. Kouwenhoven, et.al., Science, 12 Apr 2012
＊13 "Quantized Majorana conductance," Hao Zhang, Leo P. Kouwenhoven, et.al., Nature, 28 March 2018 (retracted later)
＊14 "Retraction Note: Quantized Majorana conductance," Hao Zhang, Leo P. Kouwenhoven, et.al., Nature, 08 March 2021
＊15 "A new notation for quantum mechanics," P. A. M. Dirac, Mathematical Proceedings of the Cambridge Philosophical Society, 1939
＊16「驚異の量子コンピュータ　宇宙最強マシンへの挑戦」、藤井啓祐、岩波書店、2019年11月19日

第2章 現実離れした「量子コンピュータ」のしくみ

――謎の超高速計算機はどう動いているのか

今から遡ること四半世紀以上も前に、未だ影も形もない量子コンピュータの計算理論を打ち立てようとする気の早い賢人たちがいた。

1980〜90年代にかけて、英国の物理学者デイヴィッド・ドイッチュや米国の数学者ピーター・ショアをはじめ先駆的な研究者らが、量子計算を行うための方式やアルゴリズムを次々と考案した。

いずれも(第1章で紹介した)「量子重ね合わせ(quantum superposition)」と呼ばれるミクロ世界の不可思議な現象を、超高速計算の理論へと応用したものだ。

私たちが日頃使い慣れたパソコンから大規模な科学技術計算に使われるスパコンまで、従来の計算機(古典コンピュータ)はいわゆる「ビット」が何個も連なったデータを処理対象とする。各ビットは2進数、つまりある時点で「0」か「1」のどちらかの値をとる。

しかしこれまで説明してきたように、量子力学によって説明される極小の世界では、同時に「0でもあり1でもある」という現実離れした奇妙な状況が成立する。これが「量子重ね合わせ」現象だ。(後述する)電子やイオン、光子などの量子をベースに、それを実現したものが「量子ビット(qubit)」である。

1個の量子ビットは同時に「0」と「1」という2つの状態を取り得る。ここから量子ビットの数が1個増えるに従って、それらが同時に取り得る状態の数は倍化していく。

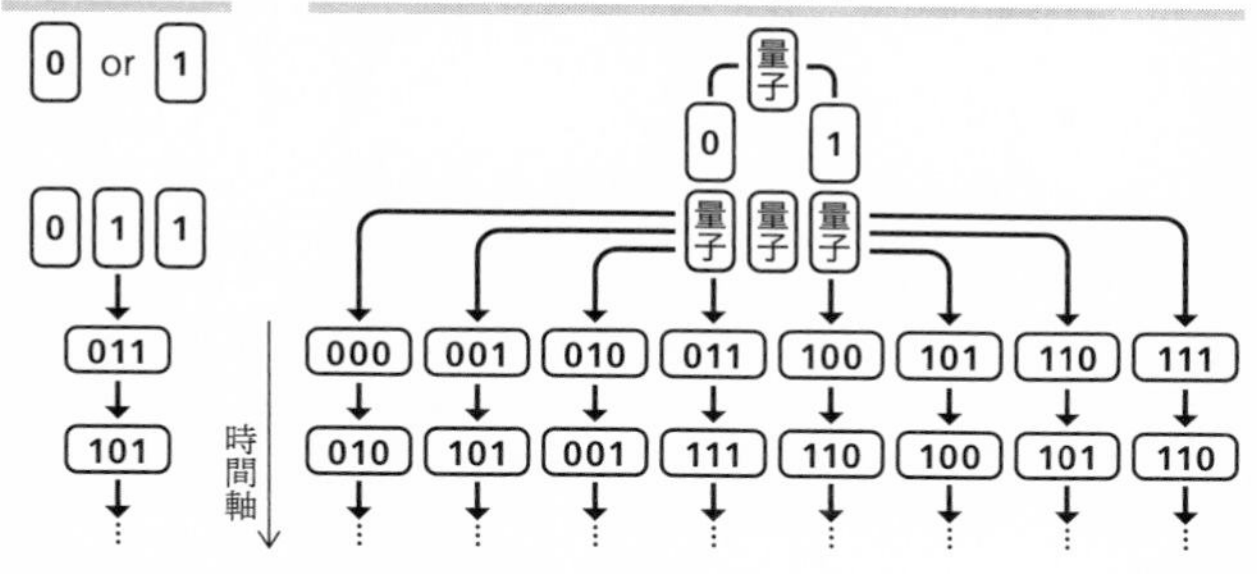

図1　従来のビットと量子ビットの違い
3ビットを例にとると、従来のビット（左）では同時に1個の状態（3ケタの2進数）しか取り得ないが、量子ビット（右）では同時に（2の3乗）＝8個の状態を取り得る。これらの状態が時々刻々と次の状態へと推移していく。コンピュータによる情報処理（計算）とは本来そういうものだが、特に量子コンピュータ（量子ビット）の場合、複数の状態が同時並列的に次の状態へと推移していくので、従来のコンピュータ（ビット）に比べて何倍も速く計算を行うことができる。これが量子並列性と呼ばれる特徴だ　出典：https://serokell.io/blog/modeling-large-quantum-computersをもとに編集部作成

つまり2個の量子ビットでは「00」「01」「10」「11」という4つの状態、3個では「000」「001」「010」「011」「100」「101」「110」「111」という8つの状態……と指数関数的に増加していき、n個の量子ビットでは「2のn乗」個の状態を同時に取ることができる。

ただ、念のため断っておくと、パソコンからスパコンまで古典コンピュータに使われている従来のビットでも、n個のビットがあれば「2のn乗」個の状態を表現できる。しかし同時に（＝ある時点で）取ることができる状態は、それらのうちのたった1個である。ここが決定的な違いだ（図1）。

仮にnを２８０と仮定すると、「２の２８０乗」個は宇宙に存在する原子の全個数に匹敵するといわれる。つまり量子ビットをたった２８０個並べただけで、事実上「無限」個の状態を同時に生み出すことができる。

量子コンピュータでは、この計り知れないポテンシャルを秘めた量子ビットを利用して、一台のコンピュータの内部に半ば無限の状態を作り出す。これらの状態を同時並列的に処理することで、スパコンなど古典コンピュータによる逐次計算（直列計算）に比べて桁違いに高い効率（スピード）で計算を行うことができる。

これが「量子並列性（quantum parallelism）」と呼ばれる特徴だ。それによる計算の過程で、量子コンピュータは「（波の）干渉」や「量子もつれ」と呼ばれる現象を組み合わせて、並列的に広がった無数の計算プロセスを徐々に絞り込んでいく。

最終的に答えを出力するときには、観測時における「波束（波の重ね合わせ）の収縮」と呼ばれる現象によって、複数個の状態（計算プロセス）がたった一つの状態（計算結果）へと収束する。これが問題の解となる。以上のやり方は、本書の「はじめに」で述べた「シュレディンガーの猫」と呼ばれる量子力学のパラドックスを逆手にとったような方法だ。

このようなしくみは（先述の）「量子ビット」や（後述する）「量子ゲート」等の技術によって実現され、数学的にはベクトルや行列など「線形代数」で表現される。

通常、一般読者向けに著された自然科学系の書物は数式を極力排除する。しかし量子コンピュータやそのベースとなる量子力学を数式なしで説明するのは、率直に言って不可能だ。以下、中学・高校で学んだ数学のおぼろげな記憶だけでも、量子コンピュータの動作原理を把握できるように工夫して書いていくつもりだ（大学の物理学講義で学ぶ専門用語なども随所に出てくるが、それはその都度、平易な言葉で説明していく）。

「中学・高校の初等数学で本当に量子コンピュータを理解できるのか？」という疑念もあろう。確かに無謀な試みではあるが、チャレンジしてみる価値はあるだろう。なぜなら「0であると同時に1でもある」という量子コンピュータの理論を鵜呑みにすることは、どうしても無理があるからだ。

それは言わば「ビーフは肉であると同時に野菜でもある」と主張するようなもので、たとえ貴方が「ヴィーガン（厳格な菜食主義者）」でなくても、なかなか受け入れることはできないであろう。このように手強い量子コンピュータの理論をよく嚙んで無理なく吞み込むには、ある程度の数学的議論（数字や記号の調理）が自ずと必要になってくるのである。

量子力学の基本的法則

科学者やエンジニアが夢の量子コンピュータを実現しようとする際、その基本的な素子

$$|\Phi\rangle = \alpha|0\rangle + \beta|1\rangle \cdots\cdots ①$$

（部品）となるのは量子ビットである。それを理解するには、概念的つまり理論的な側面と、それを実装する物理的な側面（どんな素材やハードウェア技術でできているか、等）の両方を絡めて見ていくのがベストだ。

まずは理論的な側面から見ていこう（このあたりから、いきなり数学・物理の教科書的な記述スタイルになるがご容赦いただきたい。また量子力学ならではの奇妙な表記法を使うが、紹介される数式自体はとてもシンプルなので、それほど苦にならないはずだ）。

任意の量子ビット$|\Phi\rangle$は、量子力学の伝統的な表記法に従って、①のような数式で表される（Φは「ファイ」と発音される）。

ここで使われている$|\Phi\rangle$、$|0\rangle$、$|1\rangle$のような独特の表記法は（第1章で紹介した）英国の著名な物理学者ポール・ディラックが、１９３９年頃に考案した「ブラケット（braket）記法」と呼ばれるものだ。

ブラケット（bracket）とは、本来「括弧（かっこ）」を意味する英単語である。ブラケット記法で使われる$\langle\ \rangle$のような記号がちょうど、括弧のような形をしているので、ディラックはこの呼称を選んだのだ。

ただ厳密に言えば、ディラックのブラケットでは本来の英単語からcの文字が抜けている。また①には$|\Phi\rangle$のような括弧の右側の部分（「ケット」と呼ばれる）

が使われているが、逆に$\langle\Phi|$のような左側の部分（「ブラ」と呼ばれる）が使われることもある。

実は、これらは単なる数字（スカラー）ではなくベクトル（大きさと方向を持つ量）だ。厳密には「状態ベクトル」と呼ばれる。つまり量子ビットとは本来、測定対象となる何らかの物理系の状態を表すベクトルなのだ。

なかでも$|0\rangle$と$|1\rangle$などは「基底ベクトル（basis）」と呼ばれ、各々古典ビット（従来のビット）の「0」と「1」に相当する。

それらが混ざった$|\Phi\rangle$のような状態ベクトルは、量子力学の専門用語で（$|0\rangle$と$|1\rangle$の）「重ね合わせ（superposition）」と呼ばれる。これは前述の「量子重ね合わせ」のことだ。

またαやβなどの係数は、同じく量子力学の専門用語で「確率振幅」と呼ばれる。それは数学的には「複素数」、つまり「実数と虚数を組み合わせた数」で表現される。虚数とは、2乗するとマイナスになる数のことだ。

複素数は（理科系の生徒なら）今も恐らく高校数学で学んでいるはずだが、その構成要素である虚数は直観的には理解しがたい概念だ。だから理解を容易にするために、あえて説明の厳密さを犠牲にしてでもαとβを実数に限定する場合もある。本書でもそうしよう。

そこではαの2乗が、量子ビットを測定したときに状態$|0\rangle$になる確率であり、βの2乗が同じく$|1\rangle$になる確率である。つまり普段は量子重ね合わせ状態にある量子ビットといえ

$$\alpha^2+\beta^2=1 \quad \cdots\cdots②$$

ども、その測定時には$|0\rangle$か$|1\rangle$のいずれかに収束する。そうでなければ各種の情報やそれによる計算結果を表現する最小単位ビットとしての役割を果たせないからだ。

言い方を換えれば、量子ビットは測定した時点で$|0\rangle$か$|1\rangle$のどちらかしかあり得ない。当然、両者の確率を足すと1になる。これを数式で表すと②のようになる。

以上、理由も示さずに「こうだ、こうだ」と書き連ねてきたが、これらの大半は単に量子コンピュータというより、その前提となる量子力学の基本的法則に準拠している。したがって、我々はそれを〝自然の法則〟として受け入れざるを得ない。

これらはもともと、ドイツの理論物理学者マックス・ボルンが1926年に提唱した考え方だ。厳密には量子力学を確率的に把握する「解釈」に過ぎないとの見方もあるが、事実上は間違いのない「法則」と見られている。その意味で「ボルン則」とも呼ばれる（ボルンは、この功績によって1954年にノーベル物理学賞を受賞した）。

ここから若干話が横道に逸れる感があるかもしれないが、実は極めて重要なことなので、今のうちに説明しておこう。

「量子力学の確率」と「日常生活の確率」は違う

量子力学における「確率」は、私たちが日常生活で扱う「確率」とは本質的に異なるものだ。

後者のケースとして、恐らく最も理解しやすいのは「天気予報」だろう。

そこでは、たとえば（対象地域を指定した上で）「明日の降水確率は70パーセント」といった形で確率が使われる。この場合、なぜ気象予報士は「明日は絶対に雨になります」と言えないかというと、それは私たち人類が持っている情報や技術が不十分であるからだ。

天気予報の前提となる大気の状態は、気象衛星が撮影した「雲の様子」から各地で測定された「気温」「気圧」「湿度」「風速」「風向」まで様々なデータによって表現される。しかし現時点では、どれほど昔に比べて観測技術が進歩したといえども、それらのデータは未だ不十分な量と精度に止まっている。また、これらのデータを処理するスパコンにしても、以前より、いかに計算能力が向上したとはいっても、気象情報のようなビッグデータを処理する上での限界はある。

結果的に、そこから割り出される天気予報は「明日は絶対にこうなります」ではなく、

「70パーセント」のような確率で表さざるを得ない。

つまり天気予報に代表される「日常的な確率」とは、私たち人類の技術や情報収集力の未熟さから生じる不確実性を意味している。仮に、質量ともに完璧な気象データが出揃い、それを完璧に処理できるスパコンが存在したとすれば、我々は確率に頼ることなく「明日の天気は絶対こうです」と言えるはずだ。

しかし実際にはそれはあり得ない。だから仕方なく「確率」に頼るのだ。つまり「日常的に使われる確率」とは、完璧には程遠い私たち人類が現実世界に対処するための便宜的な手段に過ぎない。

これに対し「量子力学における確率」は、宇宙を支配する根本的原理としての確率である。量子力学の対象となるミクロ世界では「ニュートンの運動方程式」に代表される古典物理的な決定論が通用しない。つまり電子のような量子が「ある時点では、ある速度で、ある場所に必ず存在する」とは言えない。むしろ「かくかくしかじかの確率で、かくかくしかじかのポジション（位置・状態）にある」としか言えないのだ。

今後、どれほど人類の技術が向上し、どれほど精度の高い情報がどれほど大量に収集できるようになっても、それは変わらない。電子のような素粒子に代表されるミクロ世界は確率によってしか記述できない。それは全知全能の神（宇宙）ですら、それ以上突き詰めることのできない究極の数値である。それが「量子力学における確率」なのだ。

このように決定論を退けて確率論を選択したことは一見、量子力学の欠点あるいは限界のように思われるかもしれないが、実はそうではない。むしろミクロ世界の奥深くに横たわる計り知れない鉱脈（ポテンシャル）を発見したことになるのだ。

なぜなら、量子の「場所や状態を確定できない」ということは、裏を返せば量子は「（同時に）あらゆる場所にいて、あらゆる状態をとることが可能」ということになるからだ。

いきなり、そんなことを言われてもピンと来ないかもしれないが、以下、本章を注意深くお読みくだされば、読み終わる頃には、ある程度まで納得いただけるはずだ。

全知全能の神ですらわからない「真の不確実性」

量子ビットの係数であるαやβの2乗から得られる確率も、当然そうした意味での「量子力学的な確率」である。以下では、これを違う視点から眺めることによって、本章の冒頭で紹介した「量子並列性」に関する理解を一段と深めてみよう。

まず量子ビットを表す数式①を図式的に表現してみよう（図2）。

前述のように、量子ビットは本来「複素数」で表現される。それを厳密に説明するには「ブロッホ球」と呼ばれる3次元の球体図が使われるが、それは正直筆者の手に余るので、

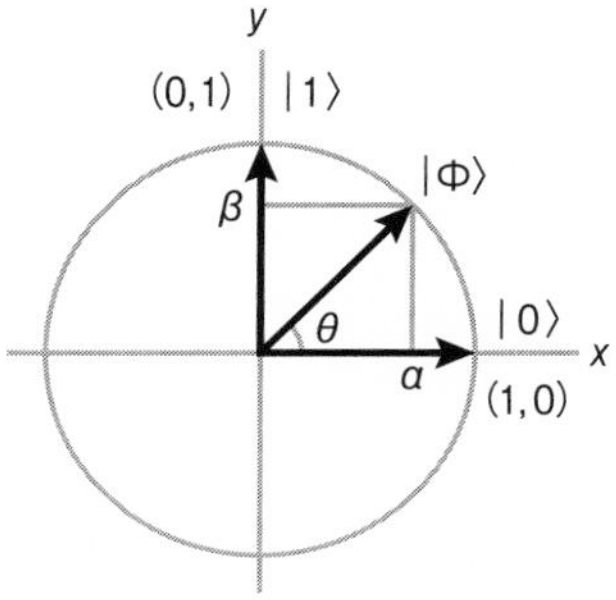

図２　量子ビットの図式的な表現

以下では量子ビットを実数に限って説明する。そうすると、図2のような2次元の図でも説明できるし、このほうがむしろ量子ビットを直観的に理解できる。

図2に記された図形は、半径が1の「単位円（unit circle)」と呼ばれるものだ。その原点から円周上の一点に向かうベクトル$|\Phi\rangle$が任意の量子ビットを表している。いちいちページをめくり返すのも面倒なので、数式①を改めて示しておくことにしよう。

ここで基底ベクトル$|0\rangle$を2次元（x、y）座標の座標値で書き下すと（1、0）、もう片方の基底ベクトル$|1\rangle$は（0、1）となる。ただ、このような座標表現には納得できない読者も多いだろう。なぜならベクトル$|0\rangle$といいながらも、そのx座標つまり横軸の値は1であるし、ベクトル$|1\rangle$といいながらも、そのx座標は0であるからだ。

しかし、これは「そういうものだ」と受け入れていただきたい。そもそもパソコンのような古典コンピュータでも、各ビットを0と1で表現しようというのは、ある意味、誰かが恣意的に決めたルールに過ぎない。要するにデジタルデータの最小単位として、明確に

$$|\Phi\rangle = \alpha|0\rangle + \beta|1\rangle \cdots\cdots ①$$

$$\alpha = \cos\theta、\quad \beta = \sin\theta \cdots\cdots ③$$

$$|\Phi\rangle = \cos\theta|0\rangle + \sin\theta|1\rangle \cdots\cdots ④$$

二つに区分できれば用が足りるわけだから、量子ビットでは単なる数字の0と1に代えてベクトル$|0\rangle$とベクトル$|1\rangle$を使うことになっている。そう受け止めるしかない。

前述のように、この$|0\rangle$と$|1\rangle$は「基底ベクトル」と呼ばれ、ともに長さが1で互いに直行する二つの単位ベクトルだ。

また数式①の$|\Phi\rangle$は、座標表現では（α、β）となる。これが量子コンピュータの処理対象となる任意の量子ビットである。

さて図2には、ベクトル$|\Phi\rangle$と横軸（x軸）との角度を表すθ（シータ）が描かれている。もしも高校時代に学んだ三角関数を今でも憶えておいでなら、数式①における係数のαとβが数式③で表現されることをご理解いただけるはずだ。これを①に代入すると、数式④のように書き換えることができる。

ここで角度θは0〜360度まで変化することができる。それにつれて、量子ビット$|\Phi\rangle$を示すベクトル、つまり矢印（の終点）も円周上をぐるりと1回転することがわかる。

これは一体、何を意味するのだろうか？

素直に考えれば、角度θが０～３６０度まで変化するにつれて、量子ビット$|\Phi\rangle$も$|0\rangle$と$|1\rangle$の間をプラスとマイナスの振れ幅を持って連続的に変化することがわかる。

つまり従来のコンピュータに使われてきたビット（古典ビット）が０か１に限定されていたのに対し、量子ビットは両者の間で３６０度の自由度を持って無限の値を取ることができる。これが量子コンピュータの計り知れないパワーの源となっている。

しかし、もう少し深く考えると、腑に落ちない点もあるはずだ。というのも、たとえθが時々刻々と変化するにせよ、ある時点ではたった一つの値を取る以上、$|\Phi\rangle$もある時点では一つの値（ベクトル）に定まるはずだ。この点では所詮、量子ビットも古典ビットと同じなのではないか、と。

しかし、その解釈は正しくない。その理由は数学的というより、量子力学つまり物理学的な要請にある。

量子力学では、時々刻々と変化する量子ビットのような極小の存在を直接観測（測定）して、その状態を特定することはできない。

もちろん、強いてやろうとすればできる。しかし、たとえば粒子検出器のような装置を使って、量子ビットを構成する電子や光子などの場所や状態を測定しようとすれば、（極めてデリケートなミクロ世界では）そうした測定行為自体が、それら素粒子に何らかの影響を及ぼして、量子ビット本来の性質が失われてしまう。その瞬間に、単なる古典ビットへと収束してしまうのだ。

したがって、量子コンピュータが何らかの難問を解決するための計算を行っている最中、その量子ビットを直接観測してはいけない。私たち人間がそれを観測することが許されないだけでなく、量子ビットを取り巻く環境要因などノイズ（雑音）による妨害も許されないということだ。

具体的には、自然界に存在する微弱な電磁場や不純物、熱揺らぎすら許されない。これらのノイズをシャットアウトするために、量子ビットは完全な隔離環境に置かれ、希釈冷凍機の内部で絶対零度に近い状態に保たれる。

これは言わば、万物の創造主たる「自然」ですら覗き見ることを許されない極限の隔離状態である。

この間、|0〉と|1〉の重ね合わせ状態にある量子ビットは、全知全能の神（宇宙）ですら、その状態がどちらに転ぶかわからない「真の不確実性（true randomness）」と呼ばれる状態に置かれる。これを私たちの日常的な言葉で表せば「量子ビットは0であると同時に1でもある」という矛盾した表現になる（さすがに、このような大雑把な説明では納得できない読者も多いと思われるので、この点については後述する「「量子ゲート」方式とは何か」の項で、もう少し踏み込ん

で解説する)。

これは、あくまで1個の量子ビットのケースである。本章の冒頭で紹介したように、ここから量子ビットの数が1個増えるに従って、それらが表現できる状態の数は倍化していく。そして、n個の量子ビットでは「2のn乗」個の状態を同時に表現できる。

このように神にとっても予測不能という「真の不確実性」が、量子コンピュータの最大の特徴である「量子並列性(無限の計算能力)」を育んでいる。つまり究極の未知が最大の武器になっているわけだが、このパラドックスの上に量子コンピューティングは成立しているのだ。

最後に一点、追加で断り書きをお許し願いたい。

ここまで紹介してきた|Φ〉、|0〉、|1〉のような量子ビットは、状態ベクトルであると同時に「波動関数」と呼ばれる存在でもある。波動関数は第1章で紹介した「シュレディンガー(の波動)方程式」の解であり、電子や光子など量子の位置・状態を表す確率を「波の振舞い」で表現した数式だ。それはまた、ミクロ世界における、いわゆる「粒子と波動の二重性」と呼ばれる現象を「確率」を結節点にして表現した数式でもある。

状態ベクトルと波動関数が物理的に同じ存在であることは先述のポール・ディラックによって証明されているが、その詳細を説明することは本書の枠外となるので、ここでは

「そういうものだ」と思って受け止めていただきたい。

量子ビットの作り方

以上、量子ビットの理論的側面を見てきたが、ここからは量子ビットの工学的な側面を見ていくことにしよう。

改めて断るまでもなく、難解な量子力学や数学に基づいて考案された量子ビット、ひいては量子コンピュータの理論は、それを具現化するために適切な素材や物理的技術によって実装されなければならない。

これについては2000年、当時IBMに所属していた物理学者デイヴィッド・ディヴィンチェンゾ（現在は独アーヘン工科大学教授）が実用的な量子コンピュータの満たすべき5つの条件をまとめた。

これらは事実上、実用的な量子ビットが満たすべき条件でもある。

①量子ビットは高品質で拡張可能（ビット数を増やせる）であること
②量子ビットは初期化が可能であること
③量子ビットは十分長い時間にわたって「コヒーレンス（0であると同時に1でもあるとい

った量子状態）」を維持できること

④（量子ビットを使って計算するしくみである）量子ゲートの完全なセット（必要十分な種類）を実現できること

⑤量子ビットは（人間による）測定が可能であること

以降、これらの条件を実際に満たす量子ビットは何種類か提案され、すでに開発の途についている。以下、第1章でも触れたが、それらの中から代表的な3つの方式を簡単に見ていくことにしよう。

(1) 超伝導量子ビット

「超伝導」とは、特定の物質において、その電気抵抗が極低温でゼロになる現象のこと。電気抵抗がゼロになると、電気回路において電流が永久に流れ続ける。

ここで念のため断っておくと、この超伝導という現象自体が実は量子力学的な効果が目に見える形で現れた量子現象の一種である。が、だからといって、超伝導現象を使ったコンピュータが必ずしも「量子コンピュータ」というわけではない。

量子コンピュータとは、あくまで「量子重ね合わせ」など量子現象が超高速計算のアルゴリズムに直接活かされている計算機のことである。

もしも、この制約条件を取っ払ってしまうと、実はパソコンのような既存の計算機も量子コンピュータということになってしまう。なぜなら、その基幹部品である「ＣＰＵ」や「メモリ」など半導体チップは本来、電気回路のスイッチングや信号増幅に使われるトランジスタ技術に基づいており、このトランジスタは量子力学の賜物であるからだ。

１９４０年代、米国のベル研究所に勤務していた物理学者ウィリアム・ショックレーやジョン・バーディーンらによって開発されたトランジスタは、主に（イタリア出身の著名な物理学者の名前に由来する）「フェルミ準位」など量子統計力学で説明される固体内の量子現象を応用した技術だ。

しかし、だからといって、このような量子現象に基づく半導体チップを搭載したパソコンなどを「量子コンピュータ」と呼ぶことはできない。現在の半導体技術を今後いくら改良したところで、既存のスパコンで数万年かかる難問をわずか数分で解けるような超高速計算機は実現できないからだ。

これと同様、単に「超伝導」という量子現象を応用したというだけの理由で、それを量子コンピュータと呼ぶことはできない。あくまで超伝導を利用して「量子重ね合わせ」等を成立させる量子ビットを実現したときに、初めて「量子コンピュータ」の称号を冠することができるのだ。

(第1章で紹介した）１９９９年にＮＥＣで開発された超伝導量子ビットは、まさにそれに該当する。これは今では超伝導方式の中でも「電荷量子ビット」と呼ばれているが、当初のそれは「コヒーレンス時間（coherence time）」が極端に短いという問題を抱えていた。

コヒーレンス時間とは、量子ビットが「量子重ね合わせ」などの量子状態を維持できる時間のことである。この「コヒーレンス（量子状態）」が計算の途中で破壊され、結果的に量子ビットが大幅に劣化したり、単なる０か１かを表現する古典ビットに収束してしまった状態は「デコヒーレンス（de-coherence)」と呼ばれる。

ただ、専門家によっては「コヒーレンス時間」のことを「デコヒーレンス時間」と呼ぶ人もいる。つまり前者は「量子状態が維持される時間」のことであり、後者は「量子状態が破壊されるまでにかかる時間」のことだから、確かに同じことを意味している。

それにしても紛らわしいので、呼び方を統一すればいいのにと思うが、この業界に染み付いた習慣の問題だから仕方がない。以下、本書では「コヒーレンス時間」のほうを採用することにする。

当初、量子ビットのコヒーレンス時間は「１ナノ秒（10億分の１秒）」にも満たないなど極めて短かった。[*1] 要するにせっかく苦労して量子ビットを実現した瞬間に、壊れてしまうようなイメージである。ここまでコヒーレンス時間が短いと、使い物になる量子コンピュータを開発することは事実上不可能と見られた。

そこで、この問題を解決するために、世界各国で同じく超伝導を利用しながらも電荷量子ビットとは異なる方式の技術が模索された。

その一つとして2002年には、（第1章で紹介した中村泰信氏が客員研究員として当時滞在中の）オランダのデルフト工科大学で「磁束量子ビット」と呼ばれる技術が開発された。[*2]この方式では、アルミニウムと酸化アルミニウムなどジョセフソン接合を用いた微小リングを非常な低温まで冷やすと超伝導に達し、右回りと左回りの電流が共存する一種の量子状態が出現する（現在はアルミニウムに代わって、ニオブなどの超伝導物質が使われることが多い）。

このうち「左回り」の電流を0、「右回り」の電流を1と定めれば、0と1が重ね合わさった量子ビットを表現できる。このような磁束量子ビットは環境ノイズの影響を受けにくいため、コヒーレンス時間が桁違いに長くなった。

さらに2007年には、（第1章で紹介したように）米イェール大学で「トランズモン」と呼ばれる技術が開発された。これは当初の電荷量子ビットを改良した技術で、量子ビットの構造を最適化するとともに静電容量を増加させることで電荷ノイズを大幅に軽減した。

これらの改良により、当初1ナノ秒にも満たなかった超伝導量子ビットのコヒーレンス時間は、今では100マイクロ秒（1万分の1秒）以上にまで改善したという。

1999年に発明された当初の超伝導量子ビットでは、コヒーレンス時間がわずか1ナノ秒にも満たなかったことから、（その量子状態が破壊されるまでの間に）たった1回の量子ビット操作も行うことができなかったはずだが、現在の技術では100マイクロ秒にも達したことから数千回もの操作を行えるようになった。

これは確かに、本格的な実用化（製品化）に大きく近づいたと見ることができるだろう。ただ、技術改良によって量子ビットの寿命が長くなったとはいえ、せいぜい「1万分の1」秒程度であるとすれば、私たちの日常感覚から見れば一瞬である。それほど脆弱な部品で本当に実用化に足る量子コンピュータが作れるのか、と訝しく思われるかもしれない。

ここで誤解を避けるために断っておくと、量子ビットの「コヒーレンス時間」は量子状態が破壊されるまでの時間であって、量子ビット自体が破壊されるわけではない。何らかの計算の途中で量子状態が破壊された量子ビットは、初期化によって再びフレッシュな量子状態へと戻すことができる。このようにして量子ビットは何度も繰り返し使えるので、この点では製品化は可能なのだ。

とはいえ、初期化が必要となるまでのコヒーレンス時間は長いに越したことはなく、それを少しでも引き延ばすために激しい技術開発競争が繰り広げられているのだ。

以上のような超伝導量子ビットは、それ以外の方式に比べて集積化と操作性にすぐれていると評価されている。

特にトランズモン型の超伝導量子ビット（図3）は、IBM、グーグル、さらには最近、金融市場から巨額資金を調達した米国のスタートアップ企業リゲッティ・コンピューティングが採用するなど主流となっている。

図3　IBMが開発したトランズモン型の超伝導量子ビット回路

出典：https://github.com/Qiskit/ibmq-device-information/blob/master/backends/yorktown/V1/README.md

2021年の時点で、IBMはすでに127量子ビットを集積したプロセッサ「イーグル」の開発に成功した。すでに紹介したように、2022年には433量子ビットの「オスプレイ」、翌2023年には1121量子ビットの「コンドル」をリリースする計画だ。

他方、超伝導量子ビットは、そのコヒーレンス時間が比較的短くて不安定、あるいは希釈冷凍機のような大型設備を必要とする、といった短所も抱えている。

これらの長所、短所について、他の方式ではどうなっているのだろうか？

以下、比較しながら見ていくことにしよう。

(2) イオン・トラップ量子ビット

「イオン」とは、正または負の電荷を帯びた原子や原子団のことだ。

プラスにせよマイナスにせよ、同じ電荷を帯びた複数のイオンは互いに反発力を及ぼし合う。この力を金属製の電極で上手く制御すると、真空容器中でいくつものイオンを直列に並べて空中にピタリと浮かせることができる（図4）。

イオンの内部エネルギーは2つの状態に分かれている。そのうちエネルギーの低い状態は「基底状態」、エネルギーの高い状態は「励起状態」と呼ばれる。基底状態を|0〉、励起状態を|1〉と定めれば、1個のイオンで1つの量子ビットを表現できる。

これらのイオン（量子ビット）に側面からレーザー光線を照射することにより、基底状態|0〉と励起状態|1〉の間を移行させたり、両者の量子重ね合わせ状態を作り出す等のビット操作を行うことができる（もちろん、いずれも計算途中の状態を外部から確認することはできない）。

このようなイオン・トラップ方式の量子コンピュータを開発しているのが、既出の米国

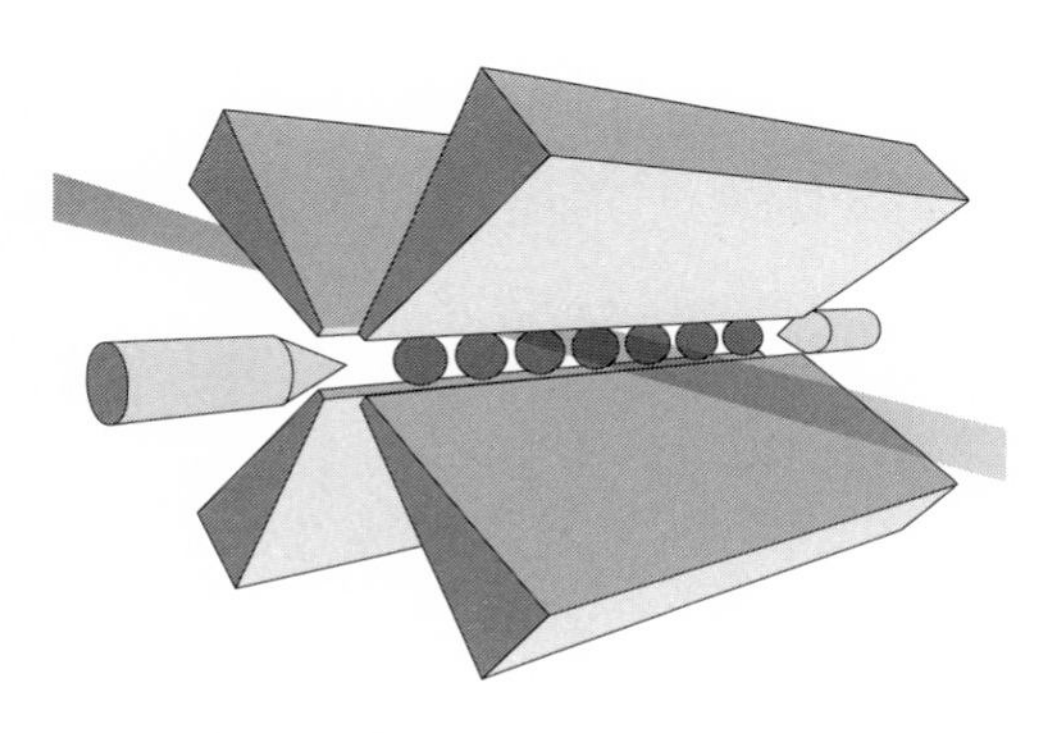

図4　イオン・トラップ量子ビット
真空中で直列に浮かんだいくつものイオン（量子ビット）を側面からレーザー光線で制御する　出典：https://theconversation.com/quantum-computer-makes-finding-new-physics-more-difficult-36869をもとに編集部作成

スタートアップ企業IonQだ。もともと、米国のメリーランド大学とデューク大学で25年かけて開発された技術を製品化すべく、2015年にメリーランド州カレッジパークに設立された。創業者の一人はメリーランド大学・物理学教授のクリストファー・モンロー氏だ。

現在の従業員数は約60名。CEO（最高経営責任者）は、かつてアマゾンで「アマゾン・プライム」事業の管理職を務めていたピーター・チャップマン氏だ。

チャップマンCEOによれば、こうしたイオン・トラップ方式の量子ビットには他の方式と比べてユニークな長所があるという。

前述の超伝導量子ビットでは、ニオブなどの超伝導物質を多数のマイクロ波ケーブルで制御する必要がある。このように人工的な構造における部品同士の接点に様々なノイズ（雑音）が発生し、これらがコヒーレンス時間を短くしたり計算時のエラー（誤り）を引き起こしてしまう。

これに対しイオン・トラップ方式では、真空中に浮いているイオンという一種の天然素材を使うので、超伝導量子ビットのように複雑な構造物ならではのノイズが発生しにくい。

このため、量子ビットのコヒーレンス時間を（超伝導量子ビット等に比べて）桁違いに長くすると同時に、計算時のエラー率も小さくすることができるという（ただ、具体的な数字は明らかにしていない）。

ＩｏｎＱでは、これまで「イッテルビウム」と呼ばれる希土類元素（のイオン）を量子ビットに採用してきたが、２０２２年以降はそれをアルカリ土類金属の「バリウム」に切り替える予定だ。これにより量子ビットのエラー率をさらに低下させることができるという。

またイオン・トラップ方式は常温で稼働させることが可能で、超伝導量子ビットに必須の希釈冷凍機など大型装置も要らないので、量子コンピュータを小型化するのにも適しているという。チャップマンＣＥＯによれば、いずれは同社製の量子コンピュータを（マイクロソフト製のゲーム機である）Ｘｂｏｘ程のサイズにして提供する計画という。

もちろん短所もある。それは量子ビットの集積化が難しいことだ。

イオン・トラップ方式では、一つの真空容器内に閉じ込めることのできるイオンの数が限られているので、超伝導方式などに比べて量子ビットの数を増やしにくい。実際、ＩｏｎＱが開発した量子コンピュータは今のところ22量子ビットに止まり、すでに１００量子ビットを超えたＩＢＭ製の超伝導型・量子プロセッサと比べて見劣りがする。

ただ、数十個のイオンを閉じ込めた真空容器を何個もネットワーク状に連結させれば、今後、量子ビットの数を増加させることも可能と見られている。

ＩｏｎＱは２０２５年に64量子ビット、続いて２５６量子ビットのプロセッサを開発する予定だ。それ以降、当面はネットワーク化によって１０２４量子ビットまで拡張する計画だという。

同社はすでにイオン・トラップ方式の量子プロセッサ（写真1）を開発し、これを搭載した量子コンピュータも製品化しているが、少なくとも今のところは、かなり大型のマシンである（写真2）。この製品は、アマゾンやマイクロソフト、グーグルなどのクラウドサービスを通じて企業ユーザーを中心に使われている。

なかでも金融機関が、これらのサービスを盛んに利用している。

米国の金融大手フィデリティはＩｏｎＱの製品を使って、融資先の会社がデフォルト（債務不履行）に陥る確率を計算する量子アルゴリズムを開発している。

写真１　米IonQ社が開発したイオン・トラップ方式の量子プロセッサ
写真提供：IonQ

写真２　IonQ製の量子コンピュータ
今のところ部屋をふさぐほどの大きさだが、いずれは家庭用ゲーム機ほどのサイズまで小さくできるという　写真提供：IonQ

同じくゴールドマン・サックスは、ある銘柄の株価が他と連動しながら変化する様子を予測する量子アルゴリズムを開発中だ。

いずれも、これらのアルゴリズムを現在の市場で運用するというより、将来量子コンピュータが本格的に使われるようになった際、特許が取得できるように今から準備しているという。

ちなみに、このＩｏｎＱには日本のソフトバンク・グループも同社のビジョンファンドを通じて巨額の投資をしたと報じられている。ソフトバンクは自らのポートフォリオ（投資先企業）の中で、（ＡＩの一種である）機械学習や新素材開発などを手がける企業が将来、量子コンピュータを使って自社業務に必要な計算を高速化することを期待しているという。

またＩｏｎＱのようなスタートアップ企業と並んで、米国の電子・軍需分野における巨大メーカー「ハネウェル」も、かなり以前からイオン・トラップ方式の量子コンピュータを開発してきた。

２０２１年11月には、同社の量子コンピュータ開発部門と英国の量子ソフト開発企業「ケンブリッジ・クオンタム・コンピューティング」を経営統合して、「クオンティニュアム（Quantinuum）」という新会社を設立。ここでイオン・トラップ方式に従う量子コンピュータの開発や、それを使ったソリューション（課題解決）事業などを展開していくという。

（3）光量子ビット

光を使った量子ビット（量子コンピュータ）の開発も、世界各国で長年にわたって進められてきた。光量子ビットは、その範疇内でも、またいくつかの方式に分かれるが、最も開発が進んでいるのが光の「偏光（polarization）」を利用した技術だ。

光は電磁波の一種であり、電磁波とは電磁場が振動しながら伝播する波である。自然界に存在する光は本来、電磁場が無規則に振動しているが、これに特定の結晶や光学フィルターを通過させることによって、縦と横に振れる「規則的な振動」に直すことができる。これを「偏光」と呼ぶ。

本来、光とは「光子（光量子）」という素粒子の集合だ。この光子の偏光において横方向の振動を|0〉、縦方向の振動を|1〉と定めれば、1個の光子によって1つの量子ビットを表現することができる。これが（偏光を使った）「光量子ビット」と呼ばれるものだ（図5）。

このような光量子ビットを実現するには、光子発生器に加えていくつもの偏光板（polarizer）や半透明ミラーなどから構成される特殊装置が必要となる。こうした複雑な装置で光子の振動方向や位相を変えたり、2つの光子をぶつけて干渉させたりすることによって、量子ビットを操作できるのだ。

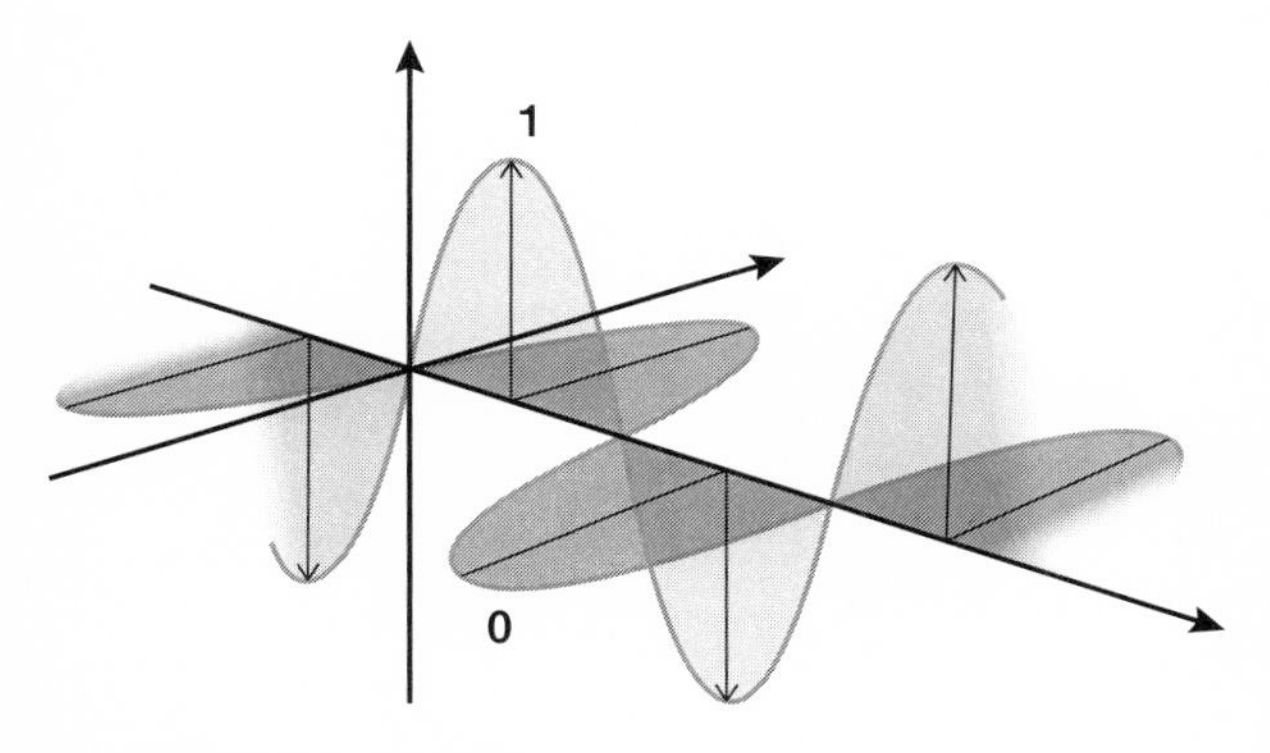

図5　光量子ビットのしくみ

光の偏光によって表現される量子ビットは本来 |0⟩、|1⟩ と表記されるべきところだが、この図では直観的に理解させるために0、1としている

出典："Introduction to Quantum Computing," Сысоев Сергей Сергеевич, Saint Petersburg State University, Courseraをもとに編集部作成

光量子ビットの長所は、その素材となる光子が外部環境からのノイズの影響を受けにくいことだ。このお陰で超伝導など他の方式に比べてコヒーレンス時間が長い、つまり非常に安定している上に計算時のエラー率も低い。

また常温で動作させることが可能なので、希釈冷凍機などの大型設備も不要だ。さらに光ファイバーなど光通信との相性も良いので、複数の光量子コンピュータを比較的容易に通信ネットワークで結んで大規模化することが可能と考えられている。

もちろん短所もある。光子は他の光子と相互作用する確率が極めて低いので、複数の光量子ビットを互いに連携させるのが難しい。つまり、量子コンピュータならではの有機的な計算を実現するのが比較的難しいということだ。

こうした光方式の量子コンピュータは世界各国で研究開発が進んでいるが、未だ大学等による基礎的な研究や実験段階のケースが多い。そうしたなか、この分野で先頭を走るのは中国と見られている。

２０２０年12月、中国科学技術大学などの研究チームは、「光量子コンピュータで量子超越性（quantum advantage：様々な英語表現があり、中国チームはこの表現を採用した）を達成した」と米サイエンス誌に発表した。[*3]

量子超越性とは、スパコンをはじめ古典コンピュータでは絶対に到達できない、あるいは（循環論法になるが）量子コンピュータのみが到達できるとされる超高速計算を意味する。

中国の研究チームは多数の光子検出器と光量子計算の技術を組み合わせた実験装置（一種の光量子コンピュータ）を使い、干渉し合う多くの「ボソン（Boson）」をある種のシミュレーションで検出する「ガウシアン・ボソン・サンプリング」の実験を行った（写真3）。

第1章で紹介したように、量子力学が扱うミクロ世界に存在する様々な粒子はボソン（ボース粒子）とフェルミオン（フェルミ粒子）の2種類に大別され、光を構成する素粒子である光子はボソンに分類される。

写真３　中国科学技術大学が実施した光方式による量子超越性の実験

出典：https://www.sciencenews.org/article/new-light-based-quantum-computer-jiuzhang-supremacy

ガウシアン・ボソン・サンプリングの実験で量子超越性を証明するためには、有限の時間内に少なくとも50個の光子を検出する必要がある。これに対し、中国の研究チームは76個の光子を検出することに成功し、それに要した時間は２００秒（3分20秒）だった。

これと同じシミュレーションを中国のスパコン「神威・大湖之光」で行うと25億年、日本の「富岳」で行うと6億年かかると同研究チームは主張したが、要するに「いかに超高速のスパコンでも、従来型のコンピュータでは事実上、有限の時間内にこの計算を終えることはできない」と言いたいわけだ。

これは、２０１９年に同じく量子超越性の達成を発表したグーグルへの対抗意識の表れでもある。同社は「スパコンで1万年かかる計算を、量子プロセッサを使って200秒で行った」と主張した。

日本でも、こうした光量子技術の研究開発は活発に行われている。理化学研究所が産学連携の研究中核拠点として、2021年4月に設立した量子コンピュータ研究センターでは、東京大学の古澤明教授が副センター長に就任した。古澤教授は「量子テレポーテーション」を光を使って世界で初めて完全に実現したことで知られる。量子テレポーテーションは「量子もつれ」と呼ばれる現象を応用して、遠く離れた場所に量子情報を瞬間移動させる技術だ。

また2021年11月には、東京大学の武田俊太郎准教授と榎本雄太郎助教らの研究チームが、光量子コンピュータの中枢回路となる独自プロセッサの開発に成功した。光パルスを何度もプロセッサに送信することで何段階もの計算を実行でき、大規模な問題を解決する可能性が拓けるという。このプロセッサは今のところ大がかりな装置だが、将来は手のひらサイズのチップにまで小型化する計画だ。

一方、北米大陸では光量子コンピュータを事業化する動きがすでに始まっている。現在、米国の「サイクォンタム（PsiQuantum）」やカナダの「ザナドゥ（Xanadu）」等のスタートアップ企業が、光量子コンピュータの開発・製品化を進めている。

サイクォンタムは2016年、それまでスタンフォード大学・物理電気工学科の教授を務めていたジェレミー・オブライエン博士（現在、同社のCEO）らによってカリフォルニア州パロアルトに設立された。現在の従業員数は約150名、オブライエンCEOをはじめ共同創業者の4名全員が物理あるいは電気工学の博士号を有している。

同社は現在に至るまで量子コンピュータの製品はおろか試作機すら作り出していないにもかかわらず、これまでいくつもの投資家から総額7億ドル（770億円）以上もの巨額資金を調達したことで知られる。それら投資家の中には、運用資産総額が約9兆5000億ドル（1000兆円以上）と世界最大の資産運用会社ブラックロックなどが含まれている。

光量子ビットのプロセッサを開発するには、半導体の製造技術が必要となる。このためにサイクォンタムは2021年5月、米国有数のファウンドリ（半導体の設計ではなく製造に特化したメーカー）である「グローバル・ファウンドリーズ」と契約を交わした。今後、サイクォンタムが開発する光量子プロセッサはグローバル・ファウンドリーズが受託製造することになる。これは同社の光量子コンピュータが試作段階に近づいている兆候かもしれない。

一方、ザナドゥは同じく2016年、量子計算と量子暗号の専門家であるクリスチャン・ウィードブロック博士（現在、同社CEO）らによって、カナダの主要都市トロントに設立された。現在の従業員数は約70名。これまでに複数の投資家から1億4500万ドル（150億円以上）を調達している。

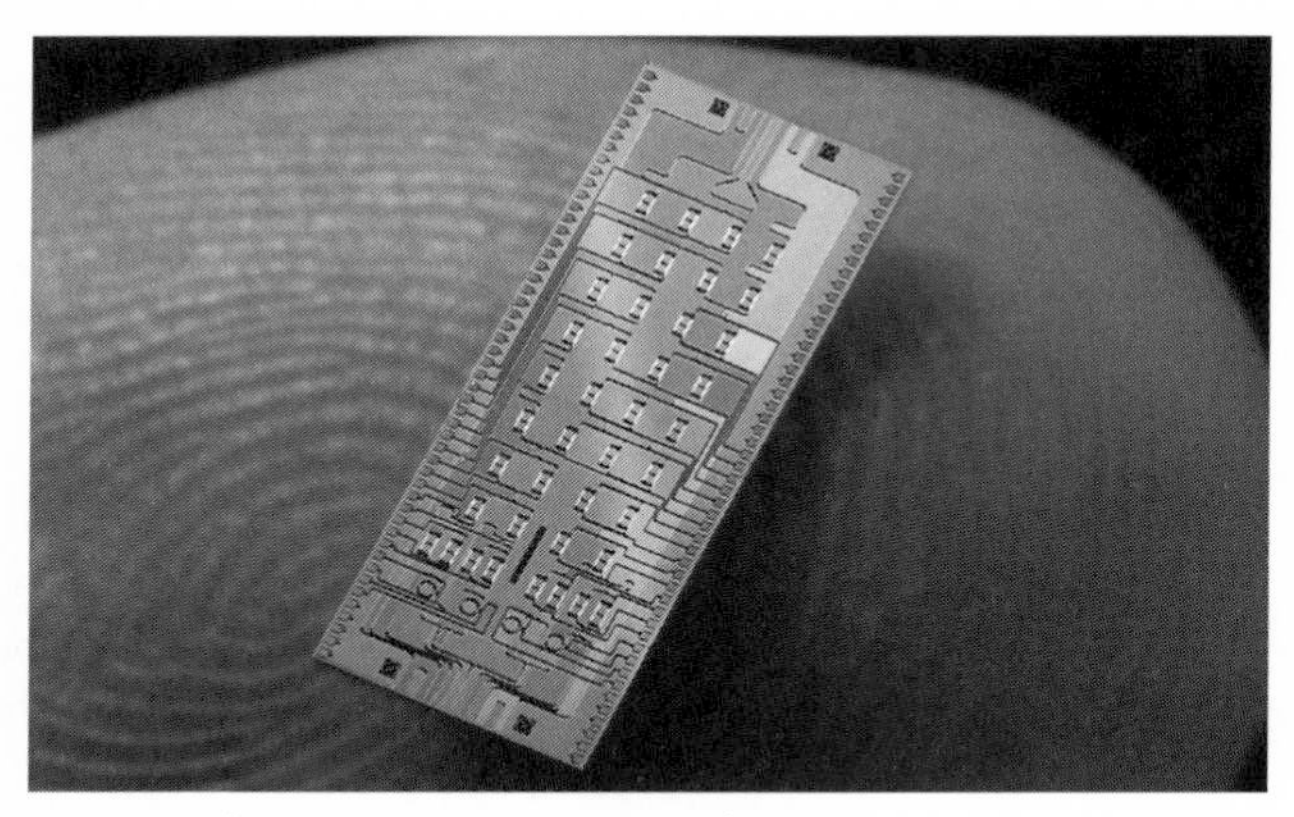

写真４　ザナドゥが開発した光量子プロセッサ
プログラム可能なので量子化学や機械学習など複数の用途に使えるという
出典：https://spectrum.ieee.org/race-to-hundreds-of-photonic-qubits-xanadu-scalable-photon

同社は２０２１年3月、８量子ビットの光量子チップ「Ｘ８」を開発した。これは縦10ミリ、横４ミリと、指先に乗るほどの小型プロセッサだ（写真４）。

（前述の）中国科学技術大学などが開発した光量子コンピュータは実際のところ、コンピュータというより大掛かりな実験装置だ。それは「ガウシアン・ボソン・サンプリング」という特殊な計算しか行うことができない。仮に他の計算をやろうとした場合、一から実験装置を組み直さなければならないのだ。

これに対しザナドゥが開発した「Ｘ８」はプログラム可能、つまりソフトウエアを書き替えればいろいろな目的に使える光量子プロセッサであるという。ただし完全に汎用のプロセッサではなく、用途は主に三つに絞られている。

一つは（中国科学技術大学のケースと同じく）ガウシアン・ボソン・サンプリングだ。これは量子コンピュータの処理能力を見積もるベンチマークに過ぎず、ビジネスや社会に貢献する実践的な問題を解くことはできないとする見方もある。

しかしザナドゥの関係者によれば、ガウシアン・ボソン・サンプリングは新薬の開発などで、異なる2種類の分子が上手く結合するかを見るためのシミュレーションに応用できるなど、かなりの実用性があるという。

二つ目の用途は、分子のエネルギー準位の変遷を測定する「振電スペクトル」など量子化学、三つ目の用途は様々なデータセット間の類似性を発見する「類似度グラフ」というテクニックだ。

ザナドゥは、この「X8」プロセッサを使った量子コンピューティングを、すでにクラウドサービスとして提供している。そこでは量子化学や機械学習などのプログラムを（プログラミング言語の）パイソンで開発するための開発環境やライブラリなどが同時提供される。

現在、このサービスを利用するクライアント（顧客企業）には、米国のオークリッジ国立研究所やカナダの銀行などが含まれている。このクラウド事業によって、ザナドゥはすでに年間数百万ドル（数億円）の収入を得ているという。

「量子ゲート」方式とは何か

以上、量子ビットを中心とする量子コンピュータの基礎理論と開発状況を見てきた。

ここからは、それが実際どのように計算を行うのかを見ていこう（おおよそのイメージを摑んでもらうだけで十分だし、なんなら読み飛ばしてもらってもかまわない、というのが担当編集者の言だが、筆者にとって最も思い入れの強い箇所ではある）。

ＩＢＭやグーグルをはじめ巨大ＩＴ企業が開発中の量子コンピュータは、いずれも「量子ゲート」と呼ばれる方式で計算を行っている。つまりこれが量子計算法の主流である。

この量子ゲートは、１９８５年に当時、英オックスフォード大学に勤務していた物理学者デイヴィッド・ドイッチュが考案した。[*4] これは古典コンピュータの演算素子である「ゲート（論理回路）」を量子計算用に改造した方式だ。

最初に少し回り道になるが、この「ゲート」と、それをベースとする古典コンピュータ（汎用デジタル計算機）の基本的な計算原理について簡単に説明しておこう。

パソコンからスパコンまで現在広く使われている汎用デジタルコンピュータは、いわゆる「ブール代数」に基づいて計算を実行している。ブール代数とは19世紀に活躍した英国の数学者ジョージ・ブールが開拓したもので、「真（1）」と「偽（0）」という2つの値だけで、論理を数学的に記述する学問だ。

このブール代数を、コンピュータの基本的な演算素子（部品）に転化したものが「ゲート」である。それらは2進数・算術演算の掛け算に相似するAND回路、同じく足し算に相似するOR回路、さらに2進数の1と0を反転させるNOT回路等から構成される（図6）。

これら各種ゲートを数限りなく組み合わせることによって、汎用コンピュータは極めて複雑で高度な演算（計算）を行い、現代社会における様々な情報処理をこなすことができる。

これらのゲートは、物理的にはトランジスタ等の電子部品から作られる。これらを微細化して何千万～何十億個をも半導体の基盤上に集積したものが「LSI（大規模集積回路）」、つまり現代コンピュータの演算処理などを担う主要部品だ。

量子力学の重要ポイント

さて「量子ゲート」とは、以上のようなゲートをある程度まで参考にして、量子計算用に一から構築し直した論理回路だ。数学的には「行列（Matrix）」によって表現される（図7）。

図6と図7を比べると、量子ゲートは従来のゲートを参考にしているとはいえ、両者の間では呼称も表記法も大きく異なることが見て取れる。

論理演算	論理ゲート	該当する算術演算	真理値表
AND		$F = A \cdot B$ or $F = AB$	A B | F 0 0 | 0 0 1 | 0 1 0 | 0 1 1 | 1
OR		$F = A + B$	A B | F 0 0 | 0 0 1 | 1 1 0 | 1 1 1 | 1
NOT		$F = \bar{A}$ or $F = A'$	A | F 0 | 1 1 | 0
NAND		$F = (\overline{AB})$	A B | F 0 0 | 1 0 1 | 1 1 0 | 1 1 1 | 0
NOR		$F = (\overline{A + B})$	A B | F 0 0 | 1 0 1 | 0 1 0 | 0 1 1 | 0

図6　ブール代数に基づくコンピュータの「ゲート（論理回路）」

また量子ゲートが数学的には単なる掛け算や足し算ではなく、それらを組み合わせた計算をする行列で表現される理由は、量子ゲートの操作対象となる量子ビットが単なる数字（スカラー）ではなく、2次元のベクトルによって表現されるからだ。

ただ、そう言われても抽象的でわかりにくいと思われるので、以下、実際にこれらの量子ゲートと量子ビットを使って簡単な計算（演算）をしてみたい。その準備として、行列とベクトルについて少し

呼び名	量子ゲート	該当する行列
NOT	X	$\begin{bmatrix} 0 & 1 \\ 1 & 0 \end{bmatrix}$
アダマール	H	$\frac{1}{\sqrt{2}}\begin{bmatrix} 1 & 1 \\ 1 & -1 \end{bmatrix}$
CNOT (Controlled NOT)		$\begin{bmatrix} 1 & 0 & 0 & 0 \\ 0 & 1 & 0 & 0 \\ 0 & 0 & 0 & 1 \\ 0 & 0 & 1 & 0 \end{bmatrix}$

図7　量子コンピュータの基本的な論理演算を行う「量子ゲート」
ここに示した3種類以外にもいくつかあるし、これら基本的な量子ゲートを多数組み合わせて、より複雑で大規模な量子ゲートを作ることもできる

だけ復習しておくことにしよう。

行列は⑤で示したようにいくつかの記号あるいは数値を縦横に並べ、それを括弧でくくったものだ。横の並びを「行」、縦の並びを「列」と呼ぶ。⑤は2つの行と2つの列からなるので、「2行、2列の行列」と呼ぶ。

ベクトルは行列の一種である。⑥のベクトルは「2行、1列の行列」に該当する。

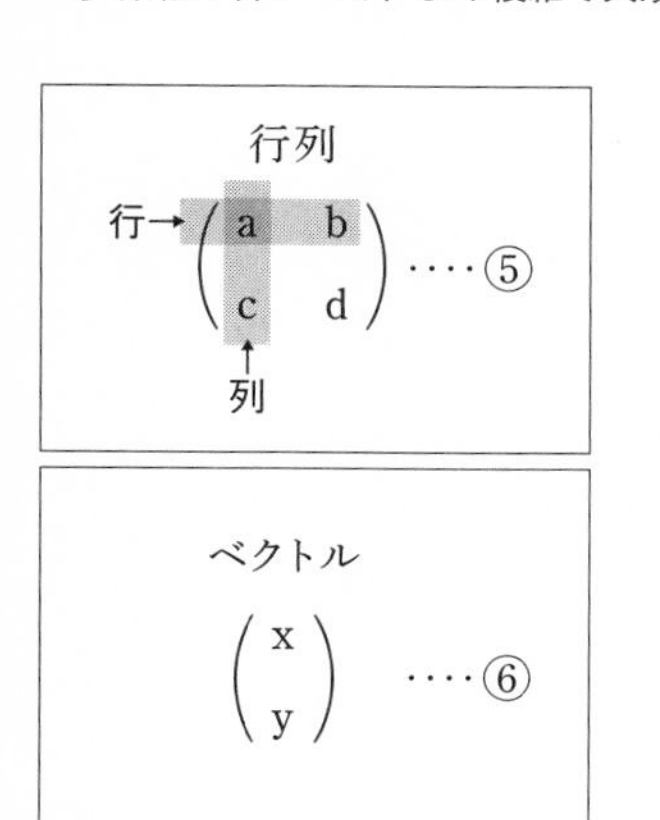

⑤の行列と⑥のベクトルの積（掛け算）を示したのが数式⑦だ。ここには「なぜ、そうなるのか」という理由はない。そのような数学の規則として受け入れていただきたい。

これで（必要最小限の）行列とベクトルの計算法は習得できた。ここから各種の量子ゲートを使って実際に計算してみよう。

まず最初は図7で一番上に示された「NOT」、あるいは「X」と呼ばれる量子ゲートを使った計算だ。これは量子ゲート「X」のような行列と、量子ビット|0〉や|1〉のようなベクトルの掛け算で表現される。

数式⑧と⑨の2つの計算から見て取れるように、この量子ゲートは量子ビットの基底ベクトル|0〉と|1〉を反転させる演算である。これはちょうど従来のゲート（図6）においてビットの0と1を反転させる「NOT」に対応しているので、量子ゲートでも同じ名前で呼ばれるようになったのだ。

次に図7の上から2番目に記された「アダマール（Hadamard）」、あるいは「H」と呼ばれる量子ゲートを使った計算をしてみよう。

数式⑩と⑪は、|0〉または|1〉という基底ベクトル（状態）にアダマール行列「H」を作用させて、それら2つの状態が重なり合った「量子重ね合わせ」を作り出している様子である。

もしも、これら量子重ね合わせ状態にある量子ビットを測定しようとすると、|0〉と|1〉の

行列とベクトルの積（掛け算）

$$\begin{pmatrix} a & b \\ c & d \end{pmatrix}\begin{pmatrix} x \\ y \end{pmatrix} = \begin{pmatrix} a \times x + b \times y \\ c \times x + d \times y \end{pmatrix} \cdots\cdots ⑦$$

$$X|0\rangle = \begin{pmatrix} 0 & 1 \\ 1 & 0 \end{pmatrix}\begin{pmatrix} 1 \\ 0 \end{pmatrix} = \begin{pmatrix} 0 \times 1 + 1 \times 0 \\ 1 \times 1 + 0 \times 0 \end{pmatrix} = \begin{pmatrix} 0 \\ 1 \end{pmatrix} = |1\rangle \cdots ⑧$$

$$X|1\rangle = \begin{pmatrix} 0 & 1 \\ 1 & 0 \end{pmatrix}\begin{pmatrix} 0 \\ 1 \end{pmatrix} = \begin{pmatrix} 0 \times 0 + 1 \times 1 \\ 1 \times 0 + 0 \times 1 \end{pmatrix} = \begin{pmatrix} 1 \\ 0 \end{pmatrix} = |0\rangle \cdots ⑨$$

$$H|0\rangle = \frac{1}{\sqrt{2}}\begin{pmatrix} 1 & 1 \\ 1 & -1 \end{pmatrix}\begin{pmatrix} 1 \\ 0 \end{pmatrix} = \frac{1}{\sqrt{2}}\begin{pmatrix} 1 \\ 1 \end{pmatrix} = \frac{1}{\sqrt{2}}\begin{pmatrix} 1 \\ 0 \end{pmatrix} + \frac{1}{\sqrt{2}}\begin{pmatrix} 0 \\ 1 \end{pmatrix} = \frac{1}{\sqrt{2}}|0\rangle + \frac{1}{\sqrt{2}}|1\rangle \cdots\cdots ⑩$$

$$H|1\rangle = \frac{1}{\sqrt{2}}\begin{pmatrix} 1 & 1 \\ 1 & -1 \end{pmatrix}\begin{pmatrix} 0 \\ 1 \end{pmatrix} = \frac{1}{\sqrt{2}}\begin{pmatrix} 1 \\ -1 \end{pmatrix} = \frac{1}{\sqrt{2}}\begin{pmatrix} 1 \\ 0 \end{pmatrix} - \frac{1}{\sqrt{2}}\begin{pmatrix} 0 \\ 1 \end{pmatrix} = \frac{1}{\sqrt{2}}|0\rangle - \frac{1}{\sqrt{2}}|1\rangle \cdots\cdots ⑪$$

確率振幅の2乗はともに1／2になる。つまり量子ビットが|0〉あるいは|1〉になる確率は完全に50対50（フィフティ・フィフティ）だ。以前に説明したように、これは私たちの日常世界における情報不足や技術的な未熟さによる確率ではない。

これはミクロ世界における量子力学的な確率である。そこにおける50対50とは、全知全能の神（宇宙）にすら、|0〉と|1〉のどちらに転ぶか予測できない「真の不確実性（true randomness）」に

該当する。

|0〉と|1〉のどちらに転ぶか宇宙にもわからないということは、そのどちらでもあり得る。つまり同時にそれら2つの状態を取り得るということだ。これは「シュレディンガーの猫」が「生きていると同時に死んでもいる」というパラドックスにも通底する考え方だ。

この逆説的な論理を受け入れることができれば、それだけでも量子コンピュータやそのベースとなる量子力学の重要なポイントを押さえたといえる。

逆に、この論理をどうしても受け入れることができない人は、「こんな奇妙な考え方に基づいて量子コンピュータを開発して大丈夫なのか?」と懸念を抱いても不思議ではない。

確かに「シュレディンガーの猫」のように学問の世界における一種の思考実験ならまだしも、それを荒々しい現実世界におけるエンジニアリング、つまり実際の製品開発に応用したケースは過去に一度もない。「本当に大丈夫なのか?」と。

たとえ物理学や情報技術の専門家ではない素人でも、そう言う権利はあると筆者は考える。なぜなら現時点ではエントリーレベルの試験機はあるにせよ、「異次元の超高速計算機」と呼べるような実機は存在しないからだ。その理論の正当性は、今後、巨額の資金をかけて、それが実現されたときに初めて証明されるのである。

ちょっと話が長引いたが、理論的な量子計算の説明に戻ろう。

$$HH|0\rangle = H\frac{1}{\sqrt{2}}\begin{pmatrix}1\\1\end{pmatrix} = \frac{1}{\sqrt{2}}\begin{pmatrix}1 & 1\\1 & -1\end{pmatrix}\frac{1}{\sqrt{2}}\begin{pmatrix}1\\1\end{pmatrix} = \frac{1}{2}\begin{pmatrix}1 & 1\\1 & -1\end{pmatrix}\begin{pmatrix}1\\1\end{pmatrix} = \frac{1}{2}\begin{pmatrix}2\\0\end{pmatrix} = \begin{pmatrix}1\\0\end{pmatrix} = |0\rangle \quad \cdots\cdots ⑫$$

$$HH|1\rangle = H\frac{1}{\sqrt{2}}\begin{pmatrix}1\\-1\end{pmatrix} = \frac{1}{\sqrt{2}}\begin{pmatrix}1 & 1\\1 & -1\end{pmatrix}\frac{1}{\sqrt{2}}\begin{pmatrix}1\\-1\end{pmatrix} = \frac{1}{2}\begin{pmatrix}1 & 1\\1 & -1\end{pmatrix}\begin{pmatrix}1\\-1\end{pmatrix} = \frac{1}{2}\begin{pmatrix}0\\2\end{pmatrix} = \begin{pmatrix}0\\1\end{pmatrix} = |1\rangle \quad \cdots\cdots ⑬$$

前掲の⑩と⑪は1個の量子ビットにおける計算の様子だが、もしもn個の量子ビットに各々アダマール行列を作用させれば、同時に「2のn乗」個の状態を取り得る指数関数的な「量子重ね合わせ」を実現できる。これによって量子コンピュータが超高速計算を行うための準備、つまり「量子並列性」という計算環境が整えられるのだ。

次に1個の量子ビットに、2回続けてアダマール演算を施してみよう。

⑫と⑬の数式から見て取れるように、$|0\rangle$または$|1\rangle$の基底ベクトルに最初にアダマール行列を作用させると$|0\rangle$と$|1\rangle$の重ね合わせ状態に移行する。ここに、もう一度アダマール行列を作用させると、今度は$|0\rangle$または$|1\rangle$という初期状態に戻る。

これはアダマール行列が、初期状態からいったん作り出した「量子重ね合わせ」、つまり「量子並列性」を示す多数の状態を、逆に初期状態へと収束させることにも使えることを意味している。

次に図7の最後に示された「CNOT」という量子ゲートだが、これは実際の計算を示すと複雑になるので、言葉で説明することにしよう。

CNOTは、同時に2個の量子ビットに作用する行列だ。本来、互いに独立しているはずの2個の量子ビットが互いに相関しながら変化する「量子もつれ（entanglement）」と呼ばれる状態を実現できる。こうした有機的な演算を前述の「量子重ね合わせ」と連携させることで実践的な超高速計算を可能にしている。

要するに量子コンピューティングとは、以上のような量子ゲート（行列）を適宜組み合わせて、ある段階で最大「2のn乗」個にも広がった無数の状態（目的とする計算の中で調べなければならない全ての可能性）を同時並列的に調べ、これに続く段階では逆に限られた状態へと収束させながら計算を進め、最終的に量子ビットの測定によって計算結果（正解）へとたどり着くプロセスなのである。

量子コンピュータ開発の技術的難題

最後に、これら数学的には行列で表現される量子ゲートが、物理的には一体何であるかを説明しておきたい。この点については、パソコンなど古典コンピュータにおける従来のゲートと対比してみると理解しやすい。

従来のゲートはシリコンのような半導体基板の上に、露光装置などで焼き付けられたトランジスタなど微細な電子部品の回路として実現されている。つまり一種の実在物（ハードウエア）として存在する。

これに対し量子ゲートとは、そうした実在物というより、量子ビットに対する一種のオペレーション（操作行為）と見るべきだ。

たとえば超伝導量子ビットの場合、電荷や磁束などで実装される|0⟩と|1⟩の量子状態を反転させたり、それらを重ね合わせたりするマイクロ波（パルス信号）による操作が各種の量子ゲートに該当する。

あるいはイオン・トラップ方式であれば、量子ビットを形成するイオンをレーザー光で操作し、基底状態|0⟩と励起状態|1⟩の間を遷移させたり、両者を重ね合わせたりするような操作。

あるいは光量子ビットであれば、各種のレンズや半透明ミラー、偏光板などで光子の振動方向や位相を変えたり、２つの光子をぶつけて干渉させたりすることによって、光子の状態を変化させる操作が各種の量子ゲートに該当する。

こうした量子ゲートと従来のゲートの違いは、それらの回路図に如実に表れている。

従来のゲート回路は、半導体基板上に焼き付けられたトランジスタ等からなる「固定的

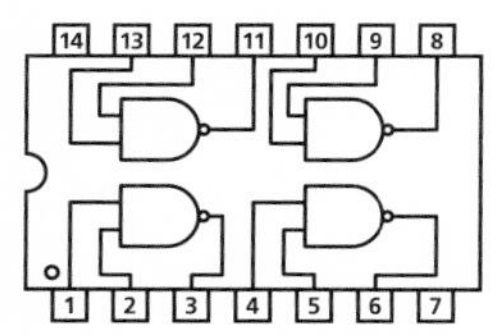

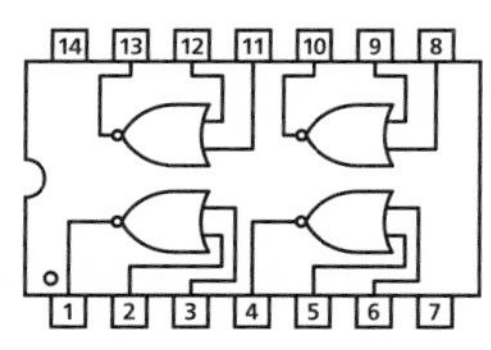

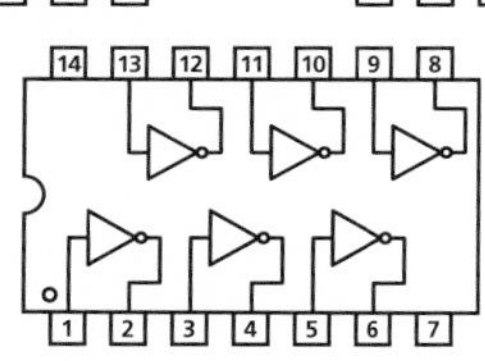

図８　従来のゲート回路
半導体基板上にトランジスタ等からなる各種ゲートが配置された静的な回路図で表現される

な回路図」として表現される（図8）。

　これに対し、量子ゲート回路は、量子コンピュータが何らかの計算を行う際に必要となる一連のオペレーションを順番に記した「動的な操作指示書」である（図9）。それはまた、私たちが古典コンピュータを操作する際のプログラム（ソフトウエア）に該当するものでもある。

　こうした量子ゲート回路に記された「H」や「X」など各種ゲートはたかだか2〜4次元の行列に過ぎない。それらを量子ビット$|0\rangle$や$|1\rangle$などのベクトルに作用させる行列演算もあっけないほどシンプルだ。この点を見る限り、量子コンピュータなんて簡単に作れそうな気もするが、もちろん実際はそうではない。

　量子コンピュータを実現するための本当の高度技術は、それら行列やベクトルで表現される

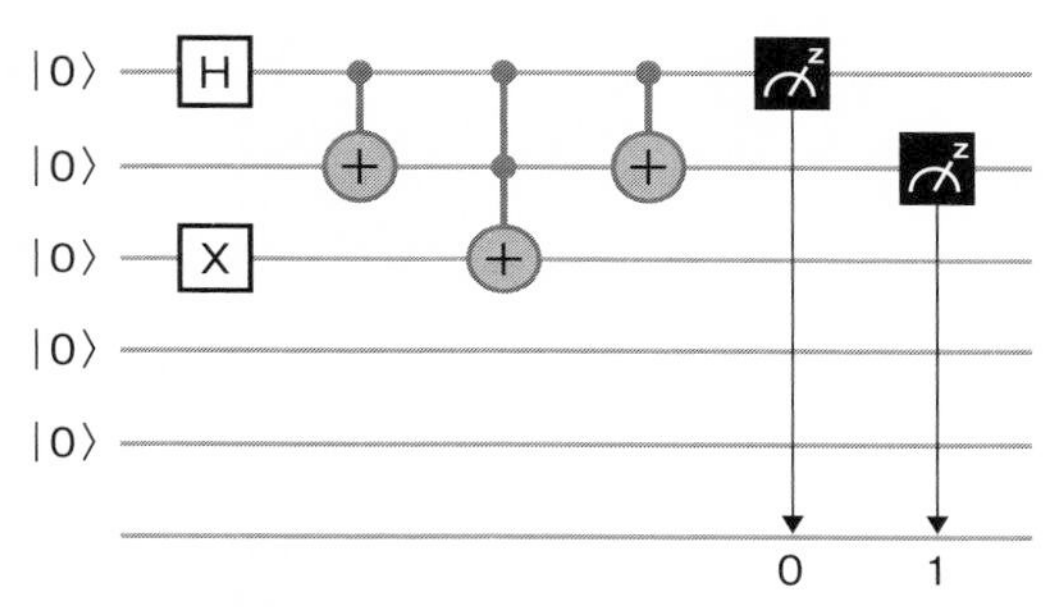

図９　量子ゲート回路

固定的な回路（ハードウエア）というより、動的な操作指示書（ソフトウエア）と見るべき。それによる量子計算は左から右方向へと進む。左端に並んだ |0⟩ の初期状態から始まり、これらにHやXなどで示された各種ゲート（演算子、行列）を作用させせることによって計算が進んでいく。最終的には、メーターのシンボルで示された測定行為によって計算結果が判明する

数学的な概念を実際の装置へと具体化するための物理的なテクノロジーにある。

たとえば|0⟩と|1⟩を反転させるXゲートにしても、両者を重ね合わせるHゲートにしても、それらを実現するには超伝導状態にある電荷や磁束、あるいはイオンや光子などミクロな素材で作られた繊細な量子ビットを、マイクロ波やレーザー、導波管などで精密に制御する超高度技術が求められる。

特に複数の量子ビットの間に相関性を持たせるCNOTゲート、つまり「量子もつれ」を物理的に実装するのは至難の業とされる。

またアダマール演算によって量子重ね合わせを作り出したり、そこから元の状態へと収束させたりするような操作は、物理的には量子ビットの本質である波動関数、つまり「確

率波」の山と山を重ねて高くしたり、逆に波の山と谷を重ねてキャンセルしたりするような操作に該当する。これは波の「干渉」と呼ばれる物理的現象を応用したもので、2つの波の間で位相を正確に合わせる必要があるなど、やはり極めて微妙で高度な技術を必要とする。

これらの技術的難題を抱えているからこそ、IBMやグーグル、マイクロソフトなどの巨大IT企業が一斉に取り組んでも、本格的な量子コンピュータを実現するのは並大抵のことではないのだ。

量子アルゴリズムの誕生

さて1985年にドイッチュが量子ゲートを考案してから、しばらくの間はそれを本格的に活用した実用的なアルゴリズムは現れなかった。

それも考えてみれば当然だ。量子コンピュータはファインマンのような天才が提唱したとはいえ、当時は単なるアイディアに過ぎず、それを実際に作ることができるとは誰も思っていなかったからだ。またいくつもの量子ゲートを組み合わせた量子アルゴリズムが、本当に従来のゲートによるアルゴリズム、つまり古典コンピュータよりも高速に計算を行うことができるという科学的証拠も当時は存在しなかった。

しかし1990年代に入ると、ようやく、そうした本格的で実用的な量子アルゴリズムが登場してくる。

1994年、当時米国のベル研究所で働いていた応用数学者・コンピュータ科学者のピーター・ショア(現在はマサチューセッツ工科大学教授)が後に「ショアのアルゴリズム」と呼ばれるようになる素因数分解の量子アルゴリズムを発案した。[*5]

素因数分解と聞くと、誰でも簡単にできそうに思える。確かに15を3と5という素数(素因数)に、あるいは91を7と13に分解する程度なら私たちも暗算でできる。しかし素因数分解の対象となる数が3桁、4桁……と大きくなるにつれ、それはどんどん難しくなり、ある桁数を境にして、たとえスパコンのような超高速の古典コンピュータを使っても複雑すぎて手に負えなくなる。

このような素因数分解の計算複雑性は暗号技術に応用されている。たとえば私たちのクレジットカードや銀行口座、ネットショッピング等で使われているのは主に「RSA」と呼ばれる暗号技術だ。

RSAの名称は、その発明者であるロナルド・リベスト、アディ・シャミア、レオナルド・エーデルマンの苗字の頭文字に由来する。これら3名の科学者によって1977年に発明されたが、実質的にこれと同じ暗号技術が1973年に英国の諜報機関で開発されていたとする説もある。

一般に暗号技術は、誰でも読める「平文」と呼ばれる情報を暗号化するアルゴリズムと、そうした情報の暗号化と復号（解読）に必要な「鍵」と呼ばれる特殊な情報の2つの要素から成る。

特にRSAは「公開鍵方式」の暗号と呼ばれ、数学的には大規模な素因数分解によって実現される。そこで使われる、いわゆる「秘密鍵」は実質的には2つの大きな素数である。この秘密鍵を握っているのは、クレジットカード会社や銀行など金融機関、あるいはEコマースを手掛けるインターネット企業など特定の業者や団体だ。

一方、社会的に共有される「公開鍵」とは、それら2つの大きな素数を掛け合わせた「合成数」と呼ばれる巨大な数であり、これが情報の暗号化で本質的な役割を果たす。なぜなら、2つの大きな素数を掛け合わせて巨大な合成数を作り出すことは容易だが、その合成数を逆に元の2つの大きな素数に分解することは極めて難しいからだ。

ハッカーなど第三者が私たちのクレジットカードや銀行口座用の暗号を解読して財産等を盗むためには、公開鍵である巨大な合成数を素因数分解して、秘密鍵である2つの大きな素数を手に入れる必要がある。

しかし、前述のように大規模な素因数分解は極めて困難であるため、（少なくとも、そのような手段によって）ハッカーが秘密鍵を手に入れることは事実上あり得ない。一方、その正当な所有者である金融機関やインターネット企業等は、秘密鍵の素数を使って暗号を解読し、ユーザーの個人情報や取引情報等にアクセスすることができる。

ＲＳＡで使われる公開鍵はおおむね６００桁（２０４８ビット）以上の合成数だが、巨大な数の象徴である「京」の桁数が17桁なので、６００桁以上となると途方もなく大きな数字であることがおわかりいただけるだろう。これを素因数分解するのは現在トップレベルのスパコンをもってしても数万年以上かかる、つまり事実上は不可能と見られている。結果的にＲＳＡのような暗号技術のお陰で、私たちの財産やオンライン商取引、個人情報等は守られている。

「ショアのアルゴリズム」出現の衝撃

ショアが発案したアルゴリズムは、こうした巨大な合成数を現実的な時間内で素因数分解することを可能にした。それは、ある種の古典的なアルゴリズムと量子アルゴリズムを上手く組み合わせた手法である（念のため断っておくと、一般に量子ゲート方式の量子コンピュータでは量子アルゴリズムのみならず古典的アルゴリズムも実行できる）。

このうち古典的アルゴリズムのほうは「ユークリッドの互除法」と呼ばれ、２つの数の最大公約数を求めるために古代ギリシャ時代から伝わっている計算法だ。これは筆者が10代の頃は公立の中学校で学んだような記憶があるが（確かではない）、今は高校数学のカリキュラムに含まれているかもしれない。

いずれにせよ初等数学といっていいが、ショアのアルゴリズムは、このような古典的計算と「量子重ね合わせ」や「量子もつれ」、さらに「干渉」等の物理現象に基づく量子計算を組み合わせたものだ。

ちなみに、ショアのアルゴリズムはたった1回の計算でピタリと正解、つまり素因数を算出できるような計算法ではない。むしろ何回も正解になりそうな候補（推定値）を立てては、ユークリッドの互除法による試算を繰り返す試行錯誤的な計算方法だ。

その際、やみくもに候補を立てるのではなく、前段階の試算で失敗した場合には所定の手続き（ある種の周期pを備えたシンプルな数式）を適用することで候補を改良する。この改良候補を使って試算を再び行う。

これが正解と判明したら、その時点で計算はめでたく終了である（それが正解か否かは、ユークリッドの互除法で判明する）。逆に正解にたどりつけなかった場合、また同じプロセスを繰り返す。

以上のどこに量子計算が使われているかというと、それは周期pを求めるところだ（図

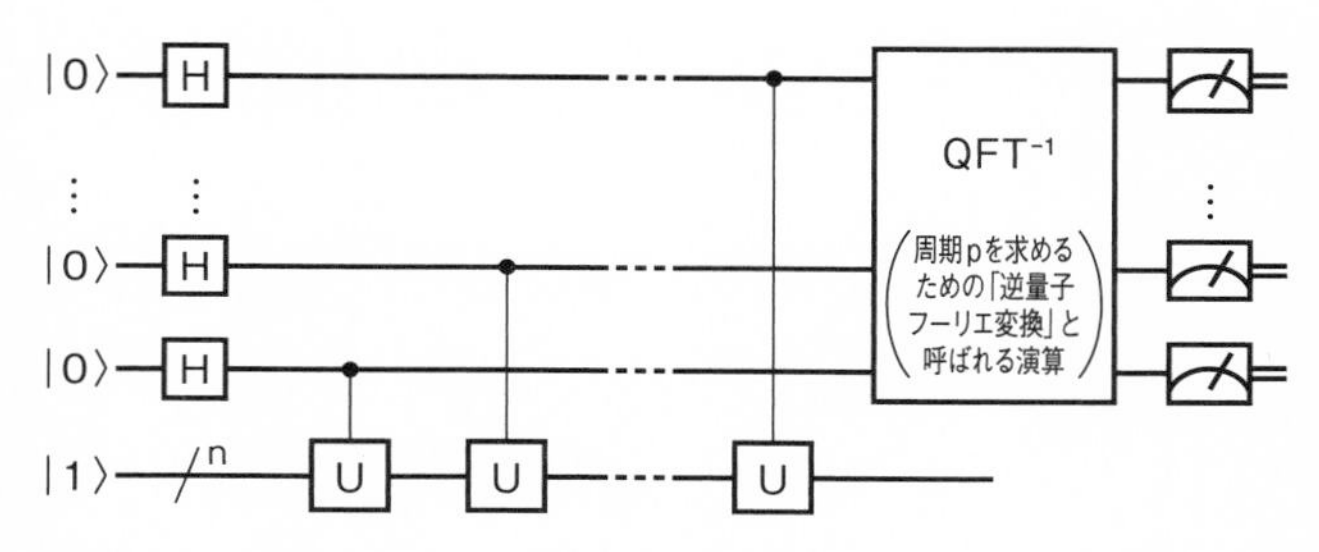

図10　ショアのアルゴリズム（量子計算の部分のみ）
まず初期状態の量子ビットにアダマール演算Hを施して「量子重ね合わせ（量子並列性）」を実現する。ここから素因数を求めるための鍵となる周期pを、同時並列的に探索することで指数関数的な高速化を達成できる。/ⁿは|1⟩がn個あることを示す省略記法。Uは「ユニタリ演算子」と呼ばれ、ここでは周期pの計算に必要な「位相推定」と呼ばれる手続きに使われる

10）。素因数分解の対象となる合成数が大きくなると、それを解く鍵となるp（一つではない）を見つけるための計算量も爆発的に増大することが知られている。

ここに「量子重ね合わせ」による超並列計算を適用することで、たった一度の探索で何らかのpを見つけることができる（ただし、そのpが必ずしも正解に結びつくとは限らない。だから何回も試行錯誤するのだ）。

これら一連の手続きによって、（純粋に古典的なアルゴリズムに比べて）正解にたどり着くまでの計算時間を大幅に短縮することができる。

何らかの合成数を古典的なアルゴリズムで素因数分解しようとした場合、そのための計算にかかる時間は合成数の大きさに対して指数関数的（爆発的）に増大する。このためRSA暗号に

使われるような600桁以上もの巨大な合成数となると、こうした従来のアルゴリズムでは歯が立たない。

これに対しショアのアルゴリズムでは、素因数分解にかかる時間が合成数の大きさに対して「多項式」的に増大する。これは計算複雑性理論の分野で「多項式時間（polynomial time）」と呼ばれる専門用語だが、平たく言えば「現実的な時間内に計算を終えることができる」という意味だ。

つまり「本格的な量子コンピュータの上でショアのアルゴリズムを使えば、現代社会で広く普及しているRSAなどの暗号を破ることができる」ということだ。

このような量子アルゴリズムによる計算の高速化は「指数関数的なスピードアップ」と呼ばれる。その意味は、古典的なアルゴリズムでは「指数関数的」な計算時間がかかってしまう問題、つまり現実的な時間内には解けない問題を解けるまでに高速化したということだ。

RSAのような暗号技術は金融やインターネット業界のみならず、軍事関連の情報や技術の保護、あるいは諜報活動など安全保障の分野でも重要な役割を果たしている。それら国家的機密情報の暗号を破ることのできる「ショアのアルゴリズム」の出現は衝撃的だった。

もちろん、この量子アルゴリズムを実行して巨大な合成数を素因数分解するためには、最低でも数百万個以上の量子ビットを備えた量子コンピュータが必要と見られている。ショアのアルゴリズムが考案された1994年当時、そうした本格的な量子コンピュータはおろか、試作機レベルのマシンさえ存在しなかった。

つまり量子コンピュータは影も形もなく、単なる理論上の産物に過ぎなかった。もちろん、近い将来、本物の量子コンピュータが実現される目途も立っていなかった。

が、それでも経済・国防活動に深く組み込まれた暗号が破られる可能性が理論的に指摘されたことで、これに対する危機感や問題意識が芽生えると同時に、量子コンピュータや（量子コンピュータでも破ることのできない）量子暗号、あるいは量子通信など量子技術全般への関心が高まった。

「グローバーのアルゴリズム」とは何か

それから2年後の1996年、当時ショアと同じくベル研究所に勤務していた数学者・コンピュータ科学者のロブ・グローバーが、のちに「グローバーのアルゴリズム」と呼ばれるようになるデータベース検索用の量子アルゴリズムを発案した。[*6]

これは、いわゆる「未整序データベース（unsorted database）」を検索するアルゴリズムだ。その一番わかりやすい事例は「電話帳」だろう。

紙製の電話帳は最近あまり見かけないが、携帯電話が普及する前には一般の家庭や企業等でよく使われていた。これはページの上から順番に「青井一郎　###－###－1234」……「青木和子　＊＊＊－＊＊＊－5678」……のように氏名の五十音順に並んでいるので、誰かの名前さえわかれば、その電話番号を簡単に検索できる（同姓同名も並んでいるので住所と合わせて特定する必要はあるが）。

しかし逆に手元のメモ帳などに記された電話番号をもとに、それに該当する氏名を検索しようとすると途端に難しくなる。なぜなら電話帳は、電話番号の側から見れば全く無秩序にデータが並んでいるからだ。これを使って自分の手で電話番号からその所有者を見つけるのは事実上不可能だし、そもそも誰もそんなことをやる気にならないだろう。このような電話帳が未整序データベースの典型だ。

この種のデータベースを検索しようとすれば、単純に最初から最後までデータを一つずつチェックしていくしかない。仮に電話帳に掲載されている電話番号の総数をNと置けば、最悪の場合はN－1回の検索が必要になる（なぜなら、そこまで検索しても見つからなかったら最後のN番目のデータが求めようとしている人物の名前に決まっているから、N回目の検索は不要になるからだ。もちろん住民全員の氏名と電話番号が漏れなく載っていることが大前提だ）。平均をとればN／2回の検索が必要になる。

これは計算複雑性理論の専門的な表記でO（N）と表現される。N回のオーダー（尺度、目安）の検索で答えが見つかりますよ、という意味だ。O（N）は古典コンピュータを使った場合でも（前述の）多項式問題、つまり十分に対処できる問題である。

これは前述の「素因数分解」よりは扱いやすい問題だ。ただ、それなりの嫌らしさも抱えている。それはデータベースにほとんど構造がないので、ショアのアルゴリズムのように誤った候補（推定値）から、より良い候補へと改良するような工夫ができないことだ。とにかく、最初から愚直に一個一個データをチェックしていくしかないのだ。

グローバーのアルゴリズムは、ショアのアルゴリズムと同じく量子並列性や干渉などの量子効果を利用することにより、この種のデータベース検索にかかる手間（時間）をNのオーダーからNの平方根のオーダーへと削減することができる。そう聞くと大したことがないように思えるかもしれないが、たとえばNを「１０００００００」と仮定すればその平方根は「１０００」だから、数値が大きくなるほど手間を非常に短縮できることがわかる。

量子コンピュータ＝汎用性が高いとは言えない理由

ここまで紹介した「ショア」と「グローバー」のアルゴリズムは、量子計算の代表例として、この分野の専門書では必ず紹介されている。ただ、裏を返せば、専門家の間でそれらが今も語り草になっているということは、この種の量子アルゴリズム（つまり、その計算対象となる問題）の数が実は限られていることを意味する。

つまり量子コンピュータとはどんな問題でも超高速に解決できる汎用マシンではなく、ある特定の難問にだけ並外れた力を発揮する特殊用途の計算機と見るべきだろう。もっとも量子ゲート方式（の量子コンピュータ）は量子アニーリング方式よりも汎用性が高いとされるが、それにしても使用範囲は（少なくとも現時点における評価では）特定の問題に限られているのだ。

ショアとグローバーのアルゴリズムに刺激を受け、21世紀に入ってからも世界各国の研究者は様々な難問を相手にして、これらを高速で解決するための量子アルゴリズムを考案してきた。正確な数はわかっていないが、現時点では少なくとも300以上の量子アルゴリズムが存在すると見られている。それらは「Quantum Algorithm Zoo」というウェブサイトにリストアップされている。これらの量子アルゴリズムのほとんどは、古典コンピュータのアルゴリズムよりも高速であることが証明されている。[*7]

これらの量子アルゴリズム、ひいては量子コンピュータの計算能力を推し量るため、いわゆる「計算複雑性理論」がよく引き合いに出される。それは「計算量理論」とも呼ばれるが、いずれにせよ基本的に古典コンピュータを想定した理論である。

ある問題を何らかの計算機を使って解こうとする際、その解法（計算方法）はわかってい

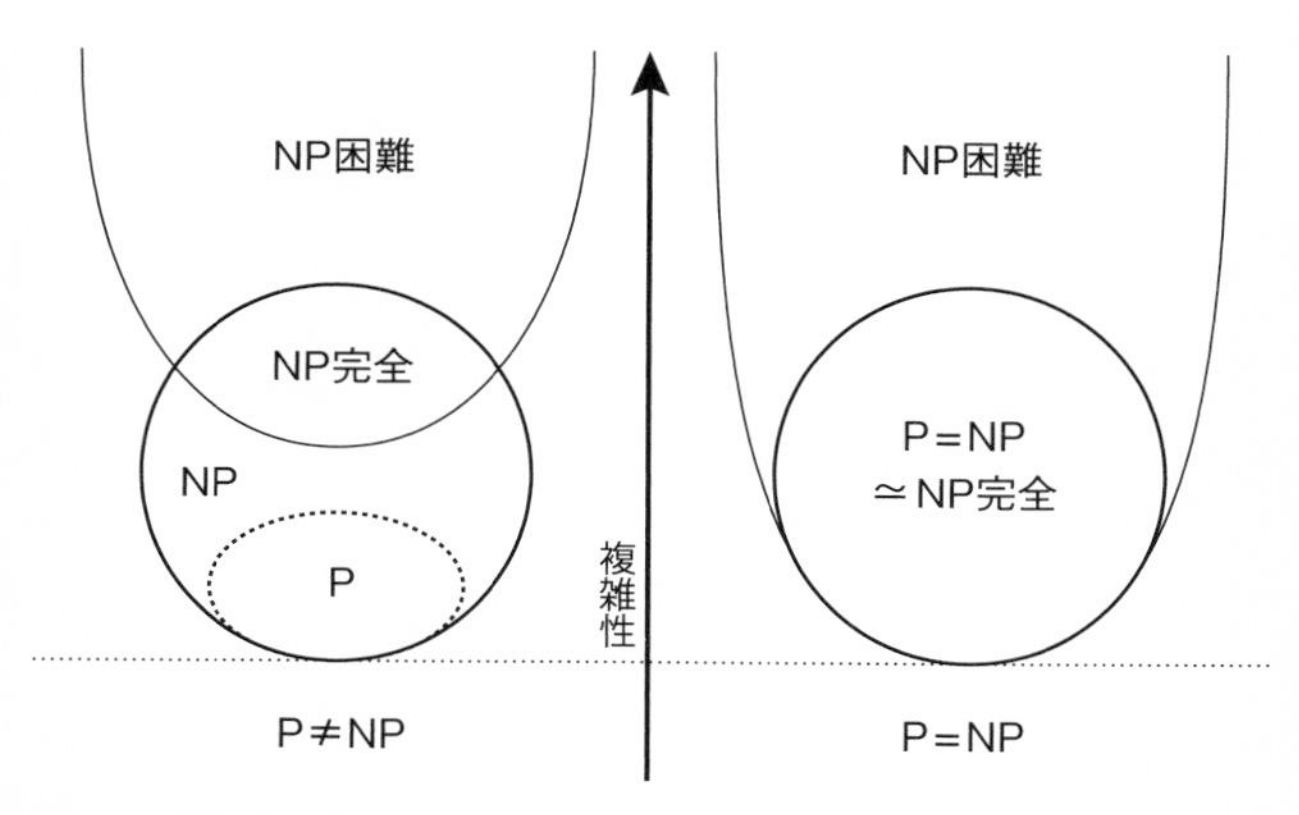

図11　複雑性クラス
量子コンピュータはＮＰ完全やＮＰ困難など超難問を解くことが期待されているが証明はされていない

ても、計算対象となるデータの量や組み合わせの数がある一線を超えると、計算が複雑になりすぎて手に負えなくなるケースがある。

それは「計算量や計算に必要な記憶量が大きくなりすぎて、処理しきれなくなる」と言い換えることもできる。つまり何万年、何億年というような膨大な計算時間がかかってしまい、現実的な時間内でその問題を解けなくなる。それは事実上、解けない問題ということだ。

計算複雑性理論では、コンピュータの計算対象となる様々な問題を、これら計算の複雑性、あるいは計算量に応じて「複雑性クラス」と呼ばれるいくつかのグループに分類する（図11）。

この図11を一目見て気付くのは、左右2つのパートに分かれていることだ。本来なら、その理由を説明するところから始めるべきかもしれないが、実はその説明を理解するには他の事柄をあらかじめ知っておく必要があるので、むしろ最後に回すことにする。

まず最初に図11の「P」あるいは「P問題」とは「Polynomial time（多項式時間）」の頭文字をとったものだ。この「P問題」は文字通り「（スパコンなど古典コンピュータを使えば）多項式時間で解ける問題」、つまり対処可能な計算問題だ。

次に「NP」とは「Nondeterministic Polynomial time（非決定性多項式時間）」の頭文字をとったものだ。ここで「Nondeterministic（非決定性）」が何を意味するのかわからないと思うが、その説明も最後にさせていただきたい。

このような「NP問題」とは「多項式時間では解けないが、何らかの数値等がその問題の解であるかどうかを検証するのは容易にできる問題」、つまり解くのは難しいが、答えを検証するのは簡単な問題だ。

さらに「NP完全（NP-Complete）」とは「NP問題の中でも最も難しい（＝複雑性が高い）問題」、「NP困難（NP-Hard）」とは「NP問題よりも、さらに難しい問題」と捉えられている。

実は、筆者がここまでに紹介した複雑性クラスに関する定義は厳密な定義ではない。この分野の専門書に記されている厳密な定義は、それ自体が複雑で難しいので、もっと直観的にわかるように簡略化した。もしも専門家が本書を読んだら（恐らく読むことはないと思うが）顔をしかめるかもしれないが、一般の読者にとっては、ここまでに記したような理解で間違いないはずだ。

巡回セールスマン問題は解けるのか？

さて（本格的な）量子コンピュータは、これら複雑性クラスのどこに属する問題を解くことができるのだろうか？

まず「グローバーのアルゴリズム」が対象とする「未整序データベースの検索」はO（N）、つまり多項式時間で解ける問題だからP問題に属する。あえて量子コンピュータを使わずとも、古典コンピュータで対処可能な問題ということになる。ただ、グローバーのアルゴリズムは、計算の過程で量子並列性などの量子現象を導入することによって、データ検索をより高速化したということだ。

次に「ショアのアルゴリズム」が対象とする「巨大な合成数の素因数分解」はNP問題に属する。実際、巨大な合成数の素因数分解は古典コンピュータでは事実上不可能だが、逆に手元に2つの大きな素数があれば、それを掛け合わせて元の巨大な合成数になるかどうかを検証するのは比較的容易だ。

しかしショアのアルゴリズムが大規模な素因数分解を可能にしたからといって、量子コンピュータが一般にＮＰ問題を解けると決まったわけではない。あくまで、ＮＰ問題の一つを解けることがわかったに過ぎない。しかし「量子コンピュータがそれ以外のＮＰ問題も解けるのではないか」という期待は当然ある。

さらにその上にある「ＮＰ完全」「ＮＰ困難」などの問題を量子コンピュータが解けるとする研究成果、つまりそれらの超難問を解くことができる量子アルゴリズムは現在のところ報告されていない。もちろん解けないと決まったわけではないが、少なくとも今の段階では解けるという保証はない。

第1章で紹介した「巡回セールスマン問題」は実はＮＰ困難、つまり最高度の計算複雑性を有する問題の代表である。

先述したように、巡回セールスマン問題は「複数の都市を一度ずつ巡回して出発地点に戻る際、どの経路を選ぶと移動コストを最小化できるか」という問題だ。これはいわゆる「組み合わせ最適化問題」に属し、この種の問題をコンピュータで解こうとする場合には、すべての組み合わせの経路を一つずつ順番に計算して最小ルートを探すことになる。

ちょっと考えるとわかるが、都市の数がＮだとすると、それら全てを巡る経路の組み合わせの数はＮ×（Ｎ－１）×（Ｎ－２）×……×３×２×１、つまり「N!（Ｎの階乗）」になる。

Nが大きくなると、その階乗は指数関数を上回るペースで増加することが知られている。

つまり巡回セールスマンのようなNP困難問題は、計算複雑性の理論上は「難問中の難問」という位置づけになる。繰り返すが、この種の問題を量子コンピュータが解けるという保証はないが、「解ければいいなあ」という期待はある。そのためにはまず、それを解くための量子アルゴリズムが発見（開発）される必要がある。

「P≠NP予想」とは？

最後に（先述の約束通り）計算の複雑性クラスを示す図11が、左右2つに分かれている理由を説明しておこう。

それは「P」と「NP」の関係について、互いに相反する2つの仮説が存在するからだ。一つは「NP問題は実は全てP問題に帰着できる」、つまり「P＝NP」とする仮説だ。もう一つは「そうではない」、つまり「P≠NP」とする仮説である。

どちらの仮説が正しいかは現時点で決着していない。これは「P≠NP予想」と呼ばれ、理論計算機科学の分野で最も重要な問題の一つとされている。どれくらい重要かというと、米国のクレイ数学研究所が2000年に発表した、各々100万ドル（1億円以上）の懸賞金をかけた7つの「ミレニアム懸賞問題」の一つに選ばれたほどだ。

仮に「P＝NP」であったとすると、RSAをはじめ暗号理論の多くが素因数分解のようなNP問題を利用しているために、それらの暗号が実は工夫（アルゴリズム）次第で古典コンピュータでも破られることになってしまう。これは情報セキュリティの観点から非常に都合の悪い事態だ。ただ、恐らくは「P≠NP」のほうが正しいのではないか、と多くの専門家は見ているようだ。

また、先述のように「NP」のNは「Nondeterministic（非決定性）」の頭文字である。この「非決定性」という言葉は本来、「非決定性チューリングマシン」という計算機科学の専門用語に由来する。

非決定性チューリングマシンとは、平たく言えばパソコンからスパコンまで現在存在するコンピュータの原理的自由度を拡張したマシンだ。ただし、それは（少なくとも、これまでのところは）概念上の存在であって実機としては存在しない。

逆に既存のコンピュータは専門的には「決定性チューリングマシン」に属する（単にチューリングマシンとも呼ばれる）。先述の「P≠NP予想」は結局、「非決定性チューリングマシンで解ける問題はすべて、決定性チューリングマシンでも解けるのか？」という問題に帰着する。

これら「決定性」や「非決定性」という専門用語がピンと来ないかもしれないが、基本的には「計算の自由度」を表していると見ていいようだ。決定性チューリングマシンのほうは、自由度が限られている分だけ実現するのは容易だが性能も限られている。逆に非決定性チューリングマシンのほうは自由度が大きい分だけ実現は困難だが、決定性チューリングマシンよりも強力な性能を育む可能性がある。可能性はあるが、そうと決まったわけではない。とにかく実機ではなく、概念上の存在に過ぎないので確かなことは言えないようだ。

では量子コンピュータはそのどちらに属するのかというと、どちらにも属さない。つまり全く異質の存在である。したがって本来、量子コンピュータはPやNPなど計算複雑性理論の対象外であるはずだが、私たちの人情として、どうしても比較してみたくなるので、「量子コンピュータはNP困難問題を解けるのか？」といった関心が生まれるようだ。

仮に将来、実用的な量子コンピュータが計算複雑性理論の対象に含まれるようになれば、複雑性クラスの分類も今とは違ったものになるだろう。

究極の量子コンピュータが具現化するのは2029年？

異次元の性能を誇るとされる量子コンピュータだが、実際にどんな問題が解けて、逆に何が解けないかは現時点では明確に定まっていない。それも考えてみれば当然だ。実用に供する本格的なマシンが存在しないからだ。

数学者や計算機科学者も人の子である。本当に使い物になる量子コンピュータが存在しないうちから、「それを使うための量子アルゴリズムを作れ」と言われたところで、今ひとつ身が入らないのも容易に想像がつく。逆に実用的な量子コンピュータが登場すれば、それを活かすためのアルゴリズム開発にも拍車がかかるだろう。

問題はそれが「いつになるか」だ。

これまで再三指摘してきたように、産業各界のビジネスに活用できる本格的な量子コンピュータを実現する上で、最大の課題とされているのが「誤り訂正」技術の確立だ。私たちが今使っている古典コンピュータにも、かつて同じような時代があった。1946年に米国で開発された「エニアック」、それに続く「エドバック」など黎明期のデジタル・コンピュータは（その後のトランジスタに相当する）「真空管」と呼ばれる原始的な論理素子（部品）を多数組み合わせることによって実装されていた。

真空管は数時間から数日に1本の頻度で壊れ、それによってコンピュータは度々故障した。また真空管の信頼性は低く、たとえそれが壊れなくても何らかの誤作動によって、これら黎明期のデジタル・コンピュータは間違った答えを出力することが多かった。これが計算の「誤り」であり、その状態を放置すれば、生まれたばかりのコンピュータが実用的なツールへと脱皮するのはまず不可能と見られた。

そこで1950年代、ベル研究所のコンピュータ科学者リチャード・ハミングや万能の天才フォン・ノイマンらが「誤り訂正符号」や「誤り耐性コンピュータ」等の理論を次々と発表した。これと(真空管に代わる)トランジスタなど、より信頼性の高い部品の開発が相まって、現在、私たちが使っているパソコンからスパコンまで古典コンピュータの実用化へと至ったのだ。

この点では、現在の量子コンピュータも1940~50年代の古典コンピュータと同じような状況に置かれているのかもしれない。IBMが2021年に発表した量子プロセッサ「イーグル」は127量子ビットと、ついに量子ビットが3桁の段階に突入したが、それだけでは実社会や産業各界に貢献する本格的な量子コンピュータは実現できない。それによる計算の誤りを自動的に訂正する技術が求められているのだ。

そのベースとなる量子誤り訂正理論は、前述の「ショアのアルゴリズム」を開発したピーター・ショアによって1995年に考案された。

従来のコンピュータで使われる古典ビットでは、そこに記録される情報をコピーして冗長化することで誤り訂正を行う。つまり単なる「0」「1」の代わりに「000」「111」のように3ビットに冗長化すれば、たとえ一つのビットが誤作動で反転しても、残り2つが影響を受けなければ多数決で誤りを訂正できる。

しかし量子コンピュータでは、量子力学における「複製不可能定理」と呼ばれる原理的限界のせいで、量子ビットに記録される情報をコピーして冗長化することができない。

そこで「量子誤り訂正」では、本来の情報を記録するための量子ビットに加えて、それをチェックして修正するための「スタビライザー・コード」と呼ばれる量子ビットを8個追加する。

これらを合わせて全部で9個の量子ビットは、全体が一組として動作する。これは「論理量子ビット」と呼ばれ、量子コンピュータが量子計算を実行する際には1個の量子ビットとして扱われる。論理量子ビットはスタビライザー・コードを中心に「量子もつれ」の原理を利用することで、様々な環境ノイズや制御パルスの揺らぎ等から生じる記録情報の誤りを瞬時に察知して訂正することができる。

この論理量子ビットと、それに続いて考案された「量子閾値（しきいち）定理」を組み合わせることで、量子コンピュータ自身が計算の誤りを修正して計算精度を実用化レベルまで引き上げられることが理論的に証明された。

この理論を具現化したマシンが「誤り耐性量子コンピュータ」と呼ばれるもので、ＩＢＭやグーグル、マイクロソフト、アマゾンなど巨大ＩＴ企業、そして日米欧中をはじめ世界各国・地域の大学や産業界が目指している最終目標である。具体的には、少なくとも数百万個の量子ビットが実装される必要があると見られている（これは論理量子ビットの数ではなく、物理的な量子ビットの数だ）。

この目標がいつ達成されるのかは正直、誰にもわからない。「今後20〜30年はかかる」と見る専門家が多いなかで、グーグルのように「２０２９年までには実現できる」とする強気の見方もある。

こうした究極の目標を追いかけながらも、当面はより現実的な目標を掲げる企業も少なくない。それは「ＮＩＳＱ（noisy intermediate scale quantum computer：ノイズを抱えた中規模の量子計算機）」と呼ばれる種類のマシンだ。文字通り、ある程度のノイズが発生するのを許容する代わりに、規模を控え目にすることで比較的早期に実現できる量子コンピュータである。

たとえばＩＢＭが２０２３年に発表予定の量子プロセッサ「コンドル」は、１１２１個の（物理的な）量子ビットを搭載する。誤り耐性量子コンピュータには最低でも数百万個の量子ビットが必要と言われるなか、このプロセッサはそれにはほど遠い。まさにＮＩＳＱと呼ぶにふさわしいが、この段階でもソフトウエアによって誤りを訂正することで、量子コンピュータが化学や製薬をはじめ広範囲の実用化へと向かう変曲点になると同社は見ている。

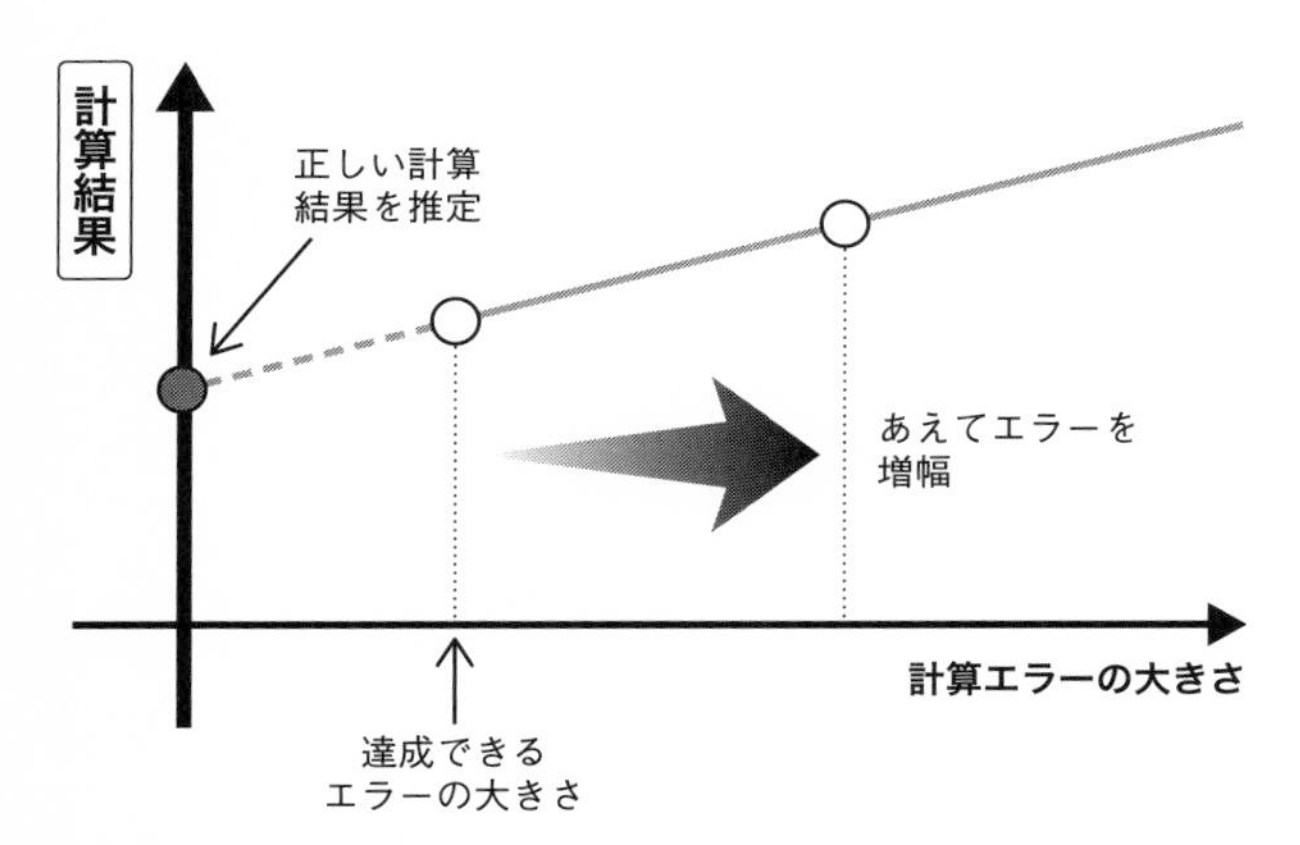

図12　外挿法による誤り訂正技術
出典：「量子情報処理の誤り耐性技術とその実装方式」、徳永裕己 他、NTT技術ジャーナル、2021年3月をもとに編集部作成

ソフトウエアによる誤り訂正とは、量子ビット数が限られているＮＩＳＱのようなマシンにおいて、なんらかのアルゴリズムによって誤りを是正するしくみである。世界各国の企業が研究しているが、たとえばノイズを意図的に増やすことによって計算エラーのない状態（計算結果）を推定する外挿法などが検討されている（図12）。

量子コンピュータは一足飛びに「誤り耐性マシン」という最終目標を達成するのではなく、こうした地道な取り組みによって徐々に実用化に近づいていくのではなかろうか。

参考文献

＊1　「超伝導量子コンピュータの基礎と最先端」、向井寛人、朝永顕成、蔡兆申、低温工学　53巻5号、2018年

＊2　“Coherent Quantum Dynamics of a Superconducting Flux Qubit,” I. Chiorescu, Y. Nakamura, C. J. P. M. Harmans and J. E. Mooij, Science, 13 Feb 2003

＊3　“Quantum computational advantage using photons,” Han-Sen Zhong, et. al., Science, 3 Dec. 2020

＊4　“Quantum theory, the Church-Turing principle and the universal quantum computer,” David Deutch, Proceedings of the Royal Society, July 1985

＊5　“Algorithms for quantum computation: discrete logarithms and factoring,” Peter Shor, Proceedings 35th Annual Symposium on Foundations of Computer Science, IEEE, November 1994

＊6　“A fast quantum mechanical algorithm for database search,” Lov K. Grover, Quantum Physics, May 1996

＊7　「最先端の量子コンピューター「IBM Q」　従来のコンピューターの限界を超えた計算能力で新たな時代を切り拓く」、ルディー・レイモンド、今道貴司、PROVISION No.92/2017

第3章 量子コンピュータは世界をどう変えるのか
――自動車・金融からメタバース・ＡＩまで

ＳＦから現実の物に変わる量子コンピュータは、私たちの生きる社会や経済、ひいては世界をどう変えるだろうか？

このような問題提起はやや大げさに感じられるかもしれない。しかし既存のコンピュータについて同じ質問を投げかけてみると、決して大げさではないことがわかる。

１９４６年に登場した世界最初のデジタル計算機「エニアック」を端緒に、コンピュータは現代文明の発達を陰で支えてきた。

超高層ビルや高速鉄道、大型ジェット旅客機など現代社会を象徴する構造物や乗り物のいずれも、コンピュータなしでは設計できない。仮に、これらがなかったとすれば、都市の景観あるいは私たちの仕事やライフスタイルは今とは全く違ったものになっていただろう。

コンピュータは良きにつけ悪しきにつけ、20世紀に飛躍的な発達・変化を遂げた社会や経済を舞台裏から形作ってきたと言える。

そして21世紀の今、新たな時代を切り開く上で大きな役割を果たすと期待されるのが量子コンピュータなのだ。

２０１９年以降、グーグルや中国科学技術大学などが実施した「量子超越性」の実験によれば、スパコンなど古典コンピュータで計算すれば何万〜何億年もかかるような難問を量子コンピュータはわずか数分で解くことができるという。

しかし、これまで指摘してきたように、そうした主張には多分に誇張が含まれていることは想像に難くない。
その本当の実力を推し測るために、まずは現在すでに稼働しているエントリーレベルの量子コンピュータが産業各界でどう使われているかを見ていこう。その延長線上に将来の姿があると見るのは短絡的かもしれないが、少なくとも未来を考える出発点にはなるだろう。

【自動車】渋滞を解消しサプライチェーンの最適化

自動車産業は黎明期の量子コンピュータを積極的に導入している業界の一つだ。この分野は今、電動化や自動運転化など「100年に一度」と言われる大変革を迎えようとしている。次なるステージでの世界的競争を勝ち抜くために、量子コンピュータは強力な武器になると期待されている。
2021年2月、トヨタ自動車の豊田中央研究所は東京大学と共同で、量子コンピュータを使って「大規模信号機群を制御する最適化技術」を発表した。[*1]
目下、都市の渋滞を緩和するために、交通状態に応じてリアルタイムで信号機を制御することが重要な課題となっている。
従来の制御技術では、各交差点周辺の局所情報のみを考慮していたため、都市全体の交通状況を同時に最適化することができなかった。都市全体の大域的な制御問題は、大規模な組み合わせ最適化問題に帰着するため、スパコンをはじめ古典コンピュータではその解を見つけることが極めて困難であったせいだ。

この組み合わせ最適化問題に対処する上で、量子コンピュータは大きな力を発揮すると期待されている。

豊田中央研究所と東京大学の共同チームは、カナダのDウェイブ製の量子コンピュータを使ったシミュレーションで、市街地における車両の流れやすさを従来の制御手法に比べて1割向上させることに成功した。

一方、ドイツ最大手のフォルクスワーゲンは、同じくDウェイブと共同でバスの停留所間を最適な経路で結ぶ量子アルゴリズムを開発した。各々のバスには、リアルタイムの交通状況に応じて自動的にルートが割り当てられる。道路上で渋滞が始まりつつある箇所を早めに検出して避けることができる。2019年にはポルトガルの首都リスボンで、この量子アルゴリズムの実証実験を行った(図1)。フォルクスワーゲンはいずれ、この技術を商用化する方針であるという。

トヨタ自動車やフォルクスワーゲンなどによる、これらの研究は将来、自動運転車が普及する時代を見据えた取り組みでもある。個々のドライバーに代わってシステムが市街地

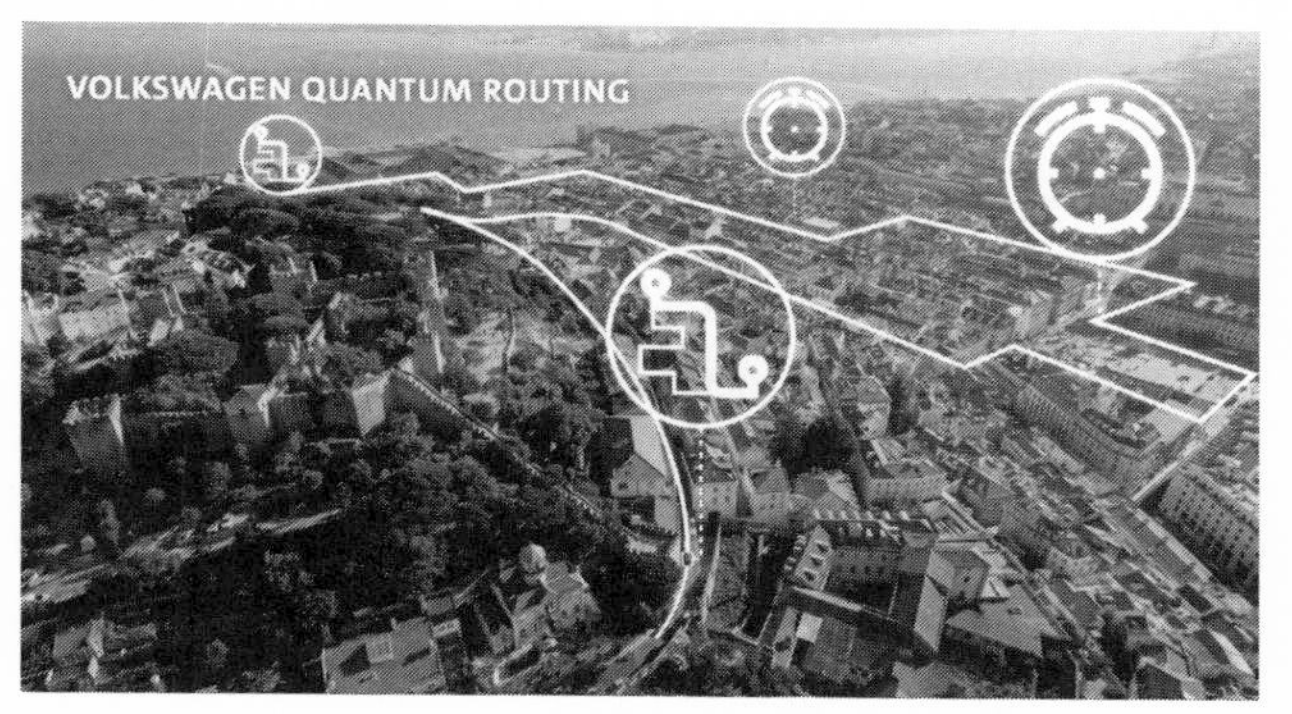

図1　量子コンピュータで停留所間のバスの経路を最適化する実証実験

出典：https://www.volkswagen-newsroom.com/en/press-releases/volkswagen-optimizes-traffic-flow-with-quantum-computers-5507

の交通状態を大域的に制御することで、根本的な渋滞解消につながると見られている。

ただ、これらの組み合わせ最適化問題は（第2章で紹介した）NP完全あるいはNP困難などの超難問に属するため、その規模がある閾値を超えた段階で、量子コンピュータをもってしても必ずしも問題解決につながるとは限らない。

一方、独ダイムラー（現在はメルセデス・ベンツグループ）はIBMと共同で、電気自動車に搭載される新型バッテリーの開発を進めている。クラウド量子サービス「IBM Q」を使い、従来のリチウム・イオン電池よりも強力で持続時間の長い「リチウム硫黄電池」の基礎研究を実施。2020年1月にその成果を発表した。[*2]

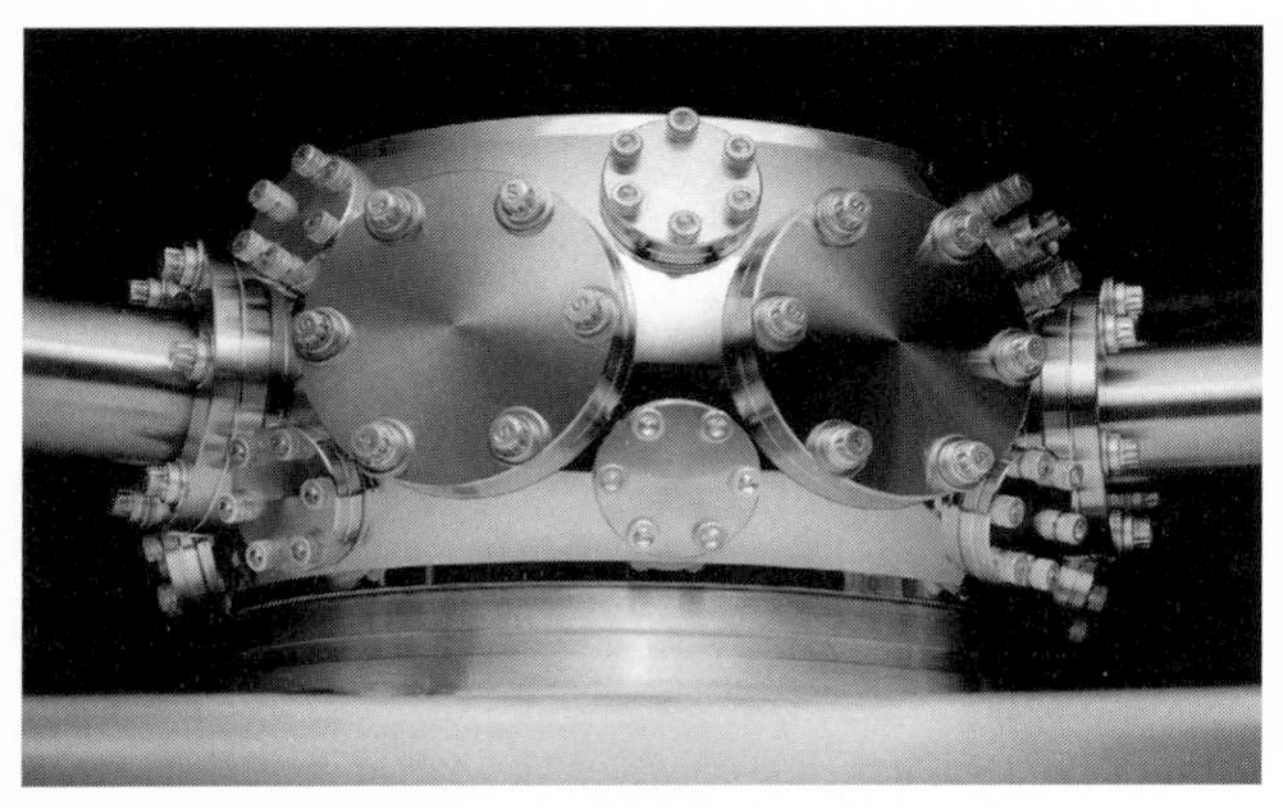

写真1　米ハネウェルのイオン・トラップ方式量子コンピュータ「H1」
出典：https://www.honeywell.com/us/en/company/quantum

それによれば、リチウム硫黄電池を構成する硫化水素化リチウムなど3種類の分子を量子コンピュータでシミュレートした。これら分子の双極子モーメントやエネルギー基底状態をモデル化することに成功し、この新型バッテリーの実用化に一歩近づいたという。

また同じくドイツのBMWは、米ハネウェル製の10量子ビットの量子コンピュータ「H1」（写真1）を使って、自動車の各種部品等のサプライチェーンを最適化する量子アルゴリズムを研究している。

【金融】投資ビジネスの競争優位性を高める

金融業界もまた、揺籃期（ようらんき）にある量子コンピュータの導入に前向きだ。

投資銀行やヘッジファンドなどは、「裁定

取引」等において同業他社より少しでも優位に立つことで巨額の利益を手にすることができる。このためライバルを出し抜こうとする金融機関にとっては、近い将来、量子コンピュータが不可欠の差異化要素になるかもしれない。

英ナットウエストグループや豪コモンウェルス銀行、米シティグループなどは将来性のある量子スタートアップ企業に出資すると同時に、これら新しい会社と共同で量子アルゴリズムの開発を進めている。

米国の大手投資銀行ゴールドマン・サックスは投資ビジネスの競争優位性を高めるために、量子コンピュータを使って「モンテカルロ・シミュレーション」を高速化しようとしている。

モンテカルロ・シミュレーション、あるいはモンテカルロ法とは、本来、方程式を解く等、決定論的に解を求めるべきだが、実際にはそれが難しい問題に対し、大規模な乱数を発生させることで統計的（近似的）に解を求める方法だ。

初歩的な一例としては、円周率πを求めるために正方形とそれに内接する四分円で乱数を発生させて無数のドットを描き出す方法がある（図2）。正方形と四分円に含まれるドット数の比を4倍すれば、おおむねπに近い値が統計的に算出される。これはモンテカルロ・シミュレーションを学ぶための課題として、よく大学のコンピュータ・プログラミン

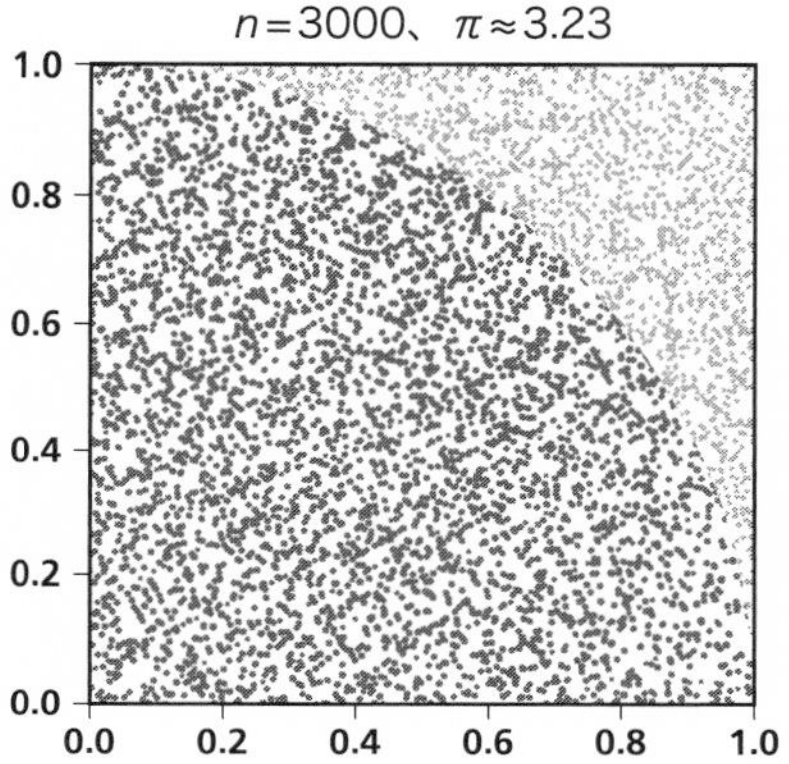

n=3000、$\pi \approx 3.23$

図２　モンテカルロ法で円周率πを求める
まず$0 \leqq x, y \leqq 1$の条件で乱数（ドット）を発生させ、その総数nと$x^2+y^2 \leqq 1$の範囲内にあるドット数の比を求める。発生させる乱数のサイズnが増加すると、その比はどんどん$\pi/4$に近づく

グ教育などで出題される。

金融業界におけるモンテカルロ法は、いわゆる「オプション取引」の価格算出のために使われるケースが多い。

オプションとは、株式や債券などの金融商品をあらかじめ定めた期日に、あらかじめ定めた価格で売買できる権利のことだ。この「金融商品を将来いくらで売買するか」という価格をコンピュータで日々計算しているが、その計算量は膨大で、従来のコンピュータを使うと一晩を費やす場合もある。このため、金融トレーダーは古いデータに基づくオプション取引で損を出すことも少なくない。

２０２１年４月、ゴールドマン・サックスと米国の量子ソフト開発スタートアップ企業「QC Ware」は共同開発した量子アルゴリズムを発表した。今後5～10年以内に登場するＮＩＳＱ、つまり発展途上の量子コンピュータ上でこのアルゴリズムを使うと、モンテカルロ・シミュレーションを従来より100倍高速に実行できるという。

【化学】最適な組み合わせを見つけバッテリー開発に活かす

化学産業は量子コンピューティングとの相性が良い。

新たな化学物質を合成するには、事前に、その化学反応に関与する原子や電子の振る舞いをコンピュータで精密にシミュレートする必要がある。しかし、そこでは電子のような量子の数が増えると、「量子重ね合わせ」現象によって指数関数的（爆発的）に計算量（計算の複雑さ）が増してしまう。

本来、こうした量子系のシミュレーションには量子コンピュータが最も適している。なぜなら、量子ビット自体が電子やイオンなど量子から作られているため、シミュレーションの対象となる量子が増加しても、同じく量子重ね合わせによってナチュラルに対応できるからだ。つまり古典コンピュータのような計算量の爆発を回避できることになる。

そのための研究は、すでに大学や企業の間で活発に進められている。

2020年、グーグルはその前年に開発され量子超越性の実験に用いられた量子プロセッサ「シカモア」を使って、化学反応における多電子系の量子状態を近似的に記述する「ハートリーフォック方程式」のシミュレーションを行った。[*3] 2つの水素元素と2つの窒素元素からなる「ジアゼン」という化合物の反応をシカモアで計算し、実験での測定値に極めて近い高精度の計算結果を得たという。

こうした基礎研究の成果は、いずれ太陽光・風力発電などに使われる新たなバッテリーの材料探索等に応用できるという。

量子コンピュータはまた、肥料生産の効率化も促すと見られている。

現在、世界全体で使用されている肥料はどれもアンモニアを原料としている。アンモニアの合成プロセスは長年にわたり、ほとんど進歩していない。基本的には20世紀初頭にドイツで開発された「ハーバー・ボッシュ法」に頼っている。

この方法では、水素と窒素に様々な触媒を組み合わせて反応させることでアンモニアを合成する。しかし、触媒の組み合わせ候補があまりにも多すぎて、現在のスパコンを使っても、最適解を見つけるには数百年かかると見られている。

ここに量子コンピュータを投入すれば、最適な組み合わせを現実的な時間内に探し出し、アンモニアの合成にかかる時間やエネルギー、費用等を最小限に抑えることができると期待されている。すでに基礎研究レベルでは、スイス連邦工科大学チューリッヒ校とマイクロソフトが共同でエントリーレベルの量子コンピュータを使い、アンモニア合成のシミュレーションを実施している。[*4]

【製薬】創薬にかかる膨大な時間とコストを圧縮

現在、量子コンピュータの実用化を最も強く待ち望んでいるのは製薬業界と言われる。医薬品とは医療に用いられる化学物質のことであり、それを生成するための化学反応を高速かつ精密にシミュレートするには量子コンピュータが必須となってくるからだ。

製薬会社はこれまで、スパコンを使った「分子動力学計算」によって新たに開発しようとしている化学物質の薬効（薬剤としての効果）をシミュレートしてきた。これは「ニュートンの運動方程式」など古典物理の法則に従って、分子や原子などの動きを逐次的に計算する方法である。

しかし本来、こうしたミクロ世界に関する計算には、古典物理学ではなく量子力学を適用すべきだ。が、前述のように「量子重ね合わせ」現象によって、化学反応に関わる電子のような量子の数が増えると指数関数的（爆発的）に計算量や複雑さが増してしまう。

このため次善の策として古典力学的な計算で近似解を求めてきたが、これを量子コンピュータ上での量子アルゴリズムに切り替えれば、従来のスパコンよりも高い効率で複雑な分子の相互作用をシミュレートできるようになる。これにより新たな化学物質の薬効をより素早く正確に予測できるようになり、創薬にかかる膨大な時間とコストを圧縮することができる。

このような時代の要請を念頭に、製薬業界では大手企業とスタートアップ企業が連携して量子コンピューティングの研究開発を進めている。

スイスの製薬・ヘルスケア大手ロシュは２０２１年、英国の量子ソフト開発企業「ケンブリッジ・クオンタム・コンピューティング」（現在は「クオンティニュアム」）と提携して、創薬用の量子アルゴリズムを開発すると発表した。この提携によって、特にロッシュのアルツハイマー病治療薬の研究を強化する。

両社が共同で開発する量子アルゴリズムはＮＩＳＱ、つまり今後数年で登場する数千量子ビットの量子コンピュータ上で稼働させることを想定しているという。

米国の製薬大手メルクも、同じく量子ソフトを開発する米ザパタ・コンピューティングに出資している。

またバイオ技術で自己免疫疾患など希少疾患の治療薬を開発する米バイオジェンは、量子ソフト開発を手掛けるカナダの「１Ｑビット」と共同で、創薬シミュレーション用の量子アルゴリズムを編み出そうとしている。

米国の合成生物学のスタートアップ企業「メンテンＡＩ」は、カナダのＤウェイブと共同で新薬につながる新たなタンパク質を設計する量子アルゴリズムの開発に挑む。

同じくカナダのスタートアップ企業「プロテインキュア」は、すでにエントリーレベルの量子コンピュータを使ったシミュレーションで、人体内部におけるタンパク質医薬品の立体構造を予測している。

いずれ本格的な量子コンピュータでこのシミュレーションを行えるようになれば、従来のコンピュータを使った場合よりも、より高速かつ容易に新たな薬剤を開発できるようになると見ている。

【物流】配達ルートや輸送手段の効率化

物流業者は複雑な国際配送ルートやサプライチェーンを合理化するために、量子コンピューティングに大きな期待を寄せている。これらの課題は（第1、2章で紹介した）「巡回セールスマン問題」に帰着、ないしは類似するからである。

セールスマンがこれから訪れる複数の都市の経路を決める際に、最も移動距離が短く、時間や交通費を最小限に抑えることのできるルートを選ばねばならない。

訪れる都市が少ない間は、この問題は容易に解ける。しかし都市の数が増加するにつれ、組み合わせの数とそれに要する計算量は急カーブを描いて上昇していく。ある段階からトップクラスのスパコンを使っても手に負えないほど膨大な計算量となり、事実上解けない問題となってしまう。

この種の問題は一般に「組み合わせ最適化問題」とも呼ばれるが、国際配送ルートやサプライチェーンには、単なる経路だけでなく、海上・空路・陸上輸送などの交通手段や積荷の種類など様々な変数が絡んでくる。それら全体の膨大な組み合わせを高速に計算するために、量子コンピュータの活躍が期待されているのだ。

国際物流大手の独DHLはハネウェル製の10量子ビットの量子コンピュータを試験的に使用して、国際配達ルートを最適化すると同時に、顧客からの再配達の注文や注文のキャンセル等に柔軟に対応できるシステムを開発している。

エネルギー大手の米エクソンモービルは、商船の海上輸送ルートを最適化するために量子コンピュータを活用しようとしている。

同社は5万隻以上の商船を保有しているが、1隻で最大2万個ものコンテナを輸送するケースもあり、それによって運ばれる商品の価値は総額14兆ドル（1500兆円以上）にも上る。これら多数の商船がたどる複雑な海上輸送ルートや、運送トラックなど陸上輸送との組み合わせを最適化するために、エクソンモービルはIBMと共同で、その解を見つける量子アルゴリズムの開発を進めている。

ただ、これらの組み合わせ最適化問題も（前述の）自動車メーカーの取り組みと同様、対象とする問題の規模がある閾値を超えた段階で、量子コンピュータをもってしても必ずしも解決につながるとは限らない。

【AI】量子機械学習の計り知れない可能性

ＡＩ（人工知能）は「自動車」や「金融」など個別の産業領域というより、今やあらゆる業界を貫いて使われる水平的な基盤技術である。この技術もまた、将来登場するであろう本格的な量子コンピュータによって飛躍的な進化を遂げると見られている。

現在のＡＩは、生物の脳のしくみを極めて基本的なレベルで模倣した「ニューラルネット」と、これをデータ解析に活用した「機械学習」と呼ばれる分野が主流となっている。この技術は現在、映像・音声のようなパターン認識、機械翻訳やスマート・スピーカーのような自然言語処理、さらにはネットショッピングの商品レコメンデーション（おすすめ）や小売ビジネスの売り上げ予測など広範囲の分野ですでに実用化されている。

そこにおけるＡＩは、現代社会や産業各界で蓄積された大規模なデータセット、いわゆるビッグデータを処理する過程で、無数のパラメーター（設定値）を最適化していく。これにより、様々な用途に応じて自身を柔軟に適応させていくのだ。このようなプロセスは、機械学習の最適化問題と呼ばれる。

量子コンピュータはこの種の問題を超高速で処理することができる。グーグルをはじめ世界のＩＴ企業は今、量子コンピュータの上で最適化問題を解くための量子機械学習アルゴリズムを開発中だ。これによって、リアルタイムで最善の判断を下し、時々刻々と変わる天気や新たな交通・道路状況に素早く適応できる自動運転車など、画期的な新製品の開発が加速すると期待されている。

２０２２年３月、グーグルの親会社アルファベットは社内の量子アルゴリズム開発グループを「サンドボックス（Sandbox）ＡＱ」というスタートアップ企業としてスピンオフ（分社化）した。今後、量子機械学習アルゴリズムによって、新薬やクリーンエネルギーの開発を加速する。また米マウントサイナイ・ヘルスシステムと共同で、（後述する）耐量子暗号を使って患者のデータをサイバー攻撃などから守るための研究も進める計画だ。

【メタバース】巨大な仮想経済圏を難なく支える超並列コンピューティング

ＡＩと並んで今、量子コンピュータの活躍が最も期待されているのが「メタバース」だ。メタバースとは主にインターネット上に構築されるスーパーリアルな３Ｄ仮想空間のことだ。

かつて２００６年頃に米国の「セカンドライフ（Second Life）」がメタバースの世界的な

ブームを巻き起こしたが、その後、尻すぼみになった経緯がある。

しかし2021年にフェイスブック（当時）が社名を現在の「メタ（Meta）」に変更するとともに、メタバースの実現に向けて巨額の開発資金を投じるなど本格的に動きだしたことで、この分野が今、改めて大きな注目を浴びている。

このメタバースを作り出すには、従来とは桁違いのコンピューティング・パワーが必要となる。近い将来、実現されるであろう本格的な3D仮想空間では、恐らく世界全体から何億人ものユーザーが集い、自身のアバター（分身）を使ってリアルタイムのコミュニケーションを図り、様々な仕事や日常生活を営むことになるからだ。

また、そこでは現実世界、つまり地球の表面積を遥かに上回る土地や住居、施設などの仮想不動産を創出することが理論的には可能で、それらは時々刻々と増加し、売買されることになる。

こうしたメタバースの膨大なトランザクション（経済活動）を担うため、メタは2022年1月、「AIリサーチ・スーパー・クラスタ（RSC）」と呼ばれる特製スパコンを公開した。メタの研究者や技術者らが2年近くをかけて開発した同スパコンには、米NVIDIA製のGPU（画像処理専用の演算装置）が6080個搭載されているが、2022年内には1万6000個程度までアップグレードされる予定だ。

これら多数の高速プロセッサによる同時並列処理によって、メタバース内の膨大な数のアバターによる多彩な経済活動を実現しようとしている。

この特製スパコンが果たす役割について、メタのマーク・ザッカーバーグCEOは次のように述べている。

「我々が構築しようとしているメタバースの様々な経験には、途方もないコンピューティング・パワーが要求される。（中略）RSCを使えば、（アバターの設計に必要な）AIモデルが何兆個もの（現実・仮想世界の）事例から学び、何百種類もの言語を理解できるようになるはずだ」

しかし実は一部専門家の間では、RSCのような並列型スパコンをもってしても、これら想像を絶するメタバースの経済活動を支えるには不十分と見られている。

ここに量子コンピュータならではの存在価値が生まれようとしている。第2章で紹介した「量子重ね合わせ」による量子並列性を使えば、RSCのような従来型スパコン（古典コンピュータ）とは比較にならない異次元の超並列コンピューティングが可能になるからだ。

この計り知れない計算能力と（前述のAIの）量子機械学習アルゴリズムを組み合わせれば、将来的に参加するアバターの数がどれほど増加しようと、社会的な矛盾や軋轢を回避しながら無理なく拡大・進化していく理想的なメタバースを実現できると期待されている。

技術領域別世界研究費推計ランキング（2009−18年合計／単位：100万ドル）

順位	国	量子コンピュータ関連技術全体	量子ビット集積化・システム化	量子コンピュータクラウドサービス	量子コンピュータ製造技術
1	米国	1060	520	320	640
2	英国	830	640	430	760
3	中国	630	340	110	280
4	豪州	300	160	140	150
5	日本	230	80	50	120

表1　主要各国が10年間に注いだ量子コンピュータ関連技術の研究費推計（部門間の費用の重複あり）

出典：今からでも遅くない！ 各産業のゲームチェンジャーとなりえる 量子技術の導入・R&D投資は最新萌芽技術の選択が決め手（全8回）～世界の研究開発動向と有望技術解説～ 第2回量子コンピュータ・量子アニーリング・量子ソフトウェア・量子AI最新萌芽技術のプレイヤー、astamuse company　https://www.astamuse.co.jp/information/ 2020/0731/をもとに編集部作成

量子関連予算を年々上積みする米国

以上のように、世界経済に劇的な変革をもたらすと見られる量子コンピュータは、国家間の力関係にも多大な影響を与えそうだ。世界の主要国はこれまで、自国の経済や安全保障を左右する量子コンピュータの研究開発に多額の予算を投じてきた。

技術分析・未来予測等のコンサルティング会社アスタミューゼの調べでは、首位の米国は2009～18年までの10年間で推定10億6000万ドル（1100億円以上）、2位の英国は同8億3000万ドル（900億円以上）を量子コンピュータの研究開発に注ぎ込んだ（表1）。同じ期間に、世界全体の研究費総額は約80億ドルに達したという。

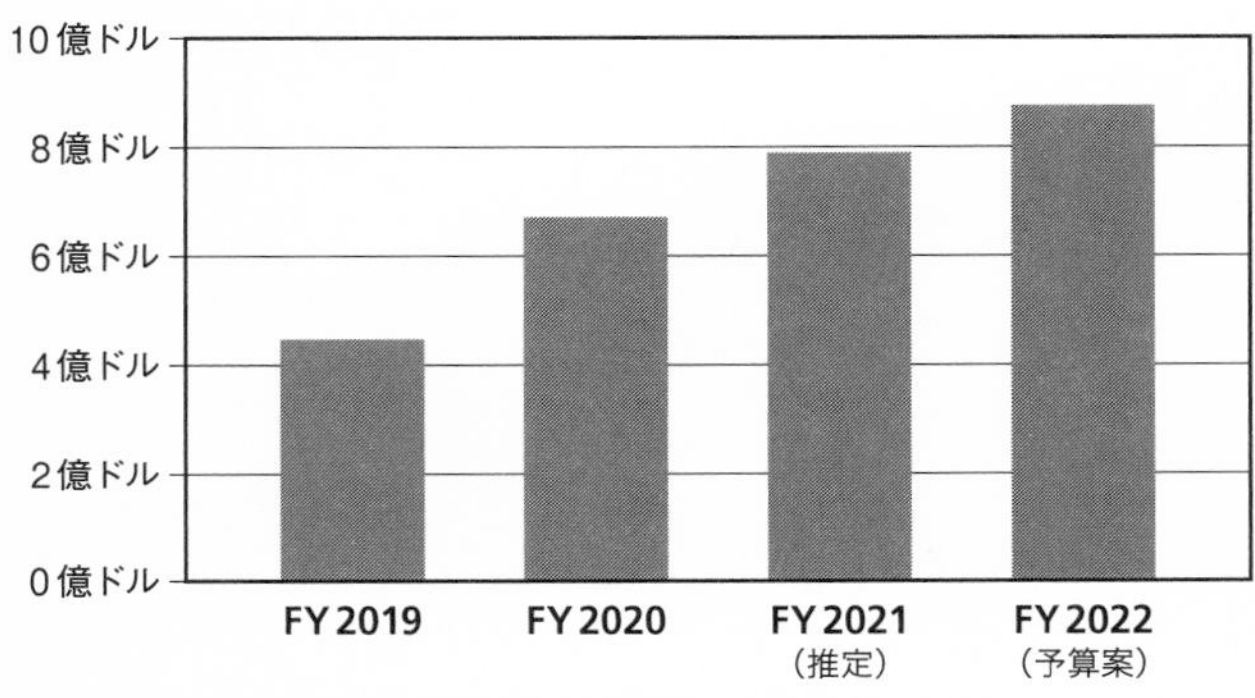

図３　米国の量子情報科学の研究開発予算（FY＝財政年度）

出典：https://quantumcomputingreport.com/u-s-qis-budget-proposed-to-grow-10-6-to-877-million-in-fy2022/をもとに編集部作成

ここ数年、主要国の量子関連予算は増額の方向にある。

米国は２０１８年に「量子情報科学（ＱＩＳ：Quantum Information Science）」の分野における国家戦略を策定し、２０２３年までの５年間で総額12億ドル（約１３００億円）の研究開発費を投じる「国家量子イニシアティブ法」を施行した。量子情報科学に含まれるのは、量子コンピュータ、量子暗号、量子通信、量子センサーなどの技術だ。

２０２１年に発足したバイデン政権は技術革新を促す科学振興費に、４年間で３０００億ドル（30兆円以上）を投じる計画だ。ここには「クリーンエネルギー」「５Ｇ」「ＡＩ」等と並んで「量子情報科学」が含まれている。

量子情報科学の予算は２０２１財政年度には

推定7億9300万ドル、2022財政年度には（議会への要求額で）8億7700万ドルと年々増加している（図3）。これらを合わせると、2018年に定めた5年分の予算総額を、実際に投入された金額のほうがすでに上回っている。

特に、大規模な量子通信ネットワーク、いわゆる「量子インターネット」の研究開発は民主・共和両党の支持を得ている。

また国防・諜報など安全保障面では、サイバー・セキュリティを強化するために量子コンピュータでも破ることのできない次世代暗号や量子暗号の研究開発に注力する。

一方、米商務省は2021年11月、中国にある量子関連企業など8つの技術系団体（technology entities）を、軍事開発や暗号解読など安全保障上の懸念から、いわゆるエンティティ・リストと呼ばれる禁輸リストに加えた。米国企業がこれらの団体に量子関連の技術を輸出することを禁止する。米中両国間の技術覇権争いに、量子情報技術も加わってきたことを示唆している。

光方式に注力する中国の狙い

米国と競うように、中国も量子情報科学を「国家重点計画」に加え、巨額の研究費を注ぎ込む構えだ。中国の量子関連予算の正確な額は不明だが、2017年頃に約100億ドル（１兆１０００億円以上）を投じて「国家量子情報科学研究所」の建設に着手した。完成すれば世界最大の量子技術研究所となる見通しだ。

安徽省・合肥に位置する37ヘクタールの敷地内に建設される同研究所は、主にステルス潜水艦に搭載される量子ナビゲーションシステムや量子暗号など、軍事・安全保障に関する量子技術に注力する。

特に量子コンピュータでは「超伝導」や「イオン・トラップ」など様々な方式があるなかで、中国が得意とするのは光方式、つまり光の素粒子である「光子」を活用した量子計算機だ。光方式の量子コンピュータは、光ファイバーなど通信ネットワークとの相性が良い。

中国科学技術大学の潘建偉教授らの研究チームは２０１６年に、世界初の量子通信衛星「墨子号」を打ち上げた。２０２１年1月には、この衛星と地上をつなぐ４６００キロメートルの通信ネットワークを築き、ハッキングや盗聴を不可能にする量子暗号通信を成功させた。中国が光方式に注力するのは、量子通信ネットワークや量子暗号など安全保障に直結する技術であるからだ。

潘教授らの研究チームは、２０２０年に光方式の量子コンピュータ「九章」も開発している。（第2章で紹介したように）この超高速マシン（実際には一種の実験装置）は世界最速のスパコンでも6億年はかかる「ガウシアン・ボソン・サンプリング」という問題をわずか2

00秒で解くことに成功したという。研究チームは、これをもって「量子超越性を達成した」と主張するなど世界的な注目を集めた。

基礎研究の商用化に腐心する英国と豪州

英国は2018年までの10年間で、米国に次ぐ多額の予算を量子コンピュータの研究開発に投じてきた。ポール・ディラックやアラン・チューリングなど、量子力学や情報科学に関わる伝説的な研究者の母国でもあるせいか、早くから国内の主要大学に研究予算を重点的に配分し、量子コンピュータの基礎研究に取り組んできた。

しかし英国は過去に大学を中心とする様々な基礎研究で先駆的な業績を上げながらも、その実用化（商用化）では米国等に後れを取ってきた苦い歴史がある。

今回の量子コンピュータでは、その轍を踏むまいと、英国政府は米中と競うように実用機の開発を目指している。

2013年には「国家量子技術プログラム」を立ち上げ、5年間で2億7000万ポンド（400億円以上）の研究開発費を投入することを決めた。その一翼を担うオックスフォード大学を量子技術開発のハブと位置づけ、ここを中心に世界初となる「真にスケーラブル（拡張可能）な量子コンピュータ」を実現するとの公約を掲げている。

２０２１年11月、ボリス・ジョンソン首相は「２０４０年までに本格的な汎用量子コンピュータを開発し、世界市場で最大のシェアを確保する」と豪語するなど、この分野にかける英国の野望を露にしている。

英連邦王国の一員であるオーストラリアもまた、かなり以前から量子技術の基礎研究に注力してきた。

国の研究開発予算を大学等に配分するオーストラリア研究評議会は２０００年、クイーンズランド大学に「量子コンピュータ技術特別研究センター」を設置。ここを中心に、同国の名門校が共同で量子コンピュータの基礎研究を進めてきた。当時は、世界的に未だ量子コンピュータへの関心や認知度が低いなかで、こうしたオーストラリアの取り組みは先駆的であった。

ただ、２０１０年代に入って量子コンピュータへの世界的関心が高まり、近年はＩＢＭやグーグル、マイクロソフトなど米国の巨大ＩＴ企業が量子コンピュータの実用化を推し進めるなかで、オーストラリアの影は薄くなってきている。

特に最近は母国の大学で学び、量子技術を研究してきたオーストラリアの科学者らが、北米で量子コンピュータのスタートアップ企業を立ち上げるなど頭脳流出が目立っている。

２０２１年に投資ファンド等から5億ドル（５００億円以上）の資金を調達した米国の

写真２　サイクォンタムが開発中の光量子プロセッサ
出典：https://psiquantum.com/news/psiquantum-partners-with-globalfoundries-to-bring-up-q1-quantum-system

「サイクォンタム（PsiQuantum）」（写真２）、同じく１億ドルを調達したカナダの「ザナドゥ（Xanadu）」などは、いずれも創業者がオーストラリア出身の科学者である。

このためオーストラリアの政府関係者の間では、頭脳流出を食い止めると同時に「基礎研究の成果を（国内での）商用化に結び付ける何らかの取り組みが必要ではないか」という危機感が高まっている。

予算増額で巻き返しを図る日本

日本政府は２０２０年１月に「量子技術イノベーション戦略」を策定し、量子コンピュータなど量子情報技術に国をあげて取り組む方針を固めた。

２０２１年２月には、この方針に基づき、理化学研究所を中核組織とする8つの「量子技術イノベーション拠点」を設けた。これら8拠点に各々個別の分野を担当させ、大学と企業の間で研究開発の連携体制を育む。

たとえば8拠点の一つである東京大学が事務局となる量子イノベーションイニシアティブ協議会は「量子コンピュータの利活用」、同じく拠点の一つである産業技術総合研究所は「量子デバイス開発」、大阪大学は「量子ソフトウエア研究」を担当する。

これらの動きに合わせ、日本政府は量子関連技術に投じる予算を大幅に増額している。2019年度は約160億円、2020年度にはその2倍以上となる約340億円、2021年度にはさらに増額して約360億円を、量子コンピュータなど量子技術開発の予算に計上した。

2022年1月に公表された量子技術イノベーション戦略の中間報告書[*5]では、東芝やNECなど日本企業が得意とする量子暗号など量子セキュリティ技術について「部品・コンポーネントのサプライチェーンの確保」を明記。国の安全保障にかかる量子情報技術を内製化する方向性を示した。

また量子インターネットに関する国家プロジェクトを立ち上げ、その技術(開発)ロードマップを作成する旨も明記。この分野でも、先行する米中両国と競合して国産技術を育成する構えだ。さらに同年6月をめどに同戦略を改訂し、日本企業による量子技術の導入を促すために設備投資費用に応じた法人税の控除なども検討する方針とされる。

前述の中間報告書はまた、量子コンピュータが今後の社会で果たす役割にも言及している。

「世界各国でカーボンニュートラル社会に向けた取組が加速。またＳＤＧｓなど健康・医療、食糧、貧困など解決すべき問題は多い。優れた計算能力を誇る量子コンピュータは、生産性向上／脱炭素化やＳＤＧｓなど複雑な社会課題の解決等に貢献」すると見ている。

１９４６年の「エニアック」に端を発する古典コンピュータは、都会に聳(そび)える巨大なビルや全国を縦横無尽に伸びる高速道路、あるいは大量のプラスチック製品に象徴される20世紀の物質文明を育む上で大きな役割を果たした。

今、世界全体でそれに対する反省の機運が高まるなか、21世紀を担う量子コンピュータには単なる経済成長の推進力とは異なる、より複雑で微妙な役割が期待されている――少なくとも日本の政府関係者はそう見ているようだ。

量子コンピュータが軍事転用される可能性

量子コンピュータをはじめ量子情報技術は日本が目指すような平和利用のみならず、軍事にも応用されることは改めて断るまでもない。

軍事利用が想定されるのは「量子暗号」や「量子コンピュータ」、さらに「量子センサー」「量子通信」「量子レーダー」など量子情報技術のほぼ全てにわたる。主要各国は巨額の予算を投じて、これら技術の軍事利用に向けた研究開発を進めている。

その成果という点で、恐らく先頭を走るのは中国だ。

中国は2017年、（前述の）量子通信衛星「墨子号」を経由して、量子暗号技術の一種である「量子鍵配送（QKD：Quantum Key Distribution）」を中国・興隆（こうりゅう）県とオーストリアの主要都市グラーツの間で成功させた。

量子鍵配送は、たとえ量子コンピュータでも解読不能とされる究極の暗号技術だ（詳細は後述）。それを使った量子暗号通信の成功は、中国政府が将来の有事における国際通信の安全性（秘匿性）を確保する上で一里塚になったと見られている。

が、これは始まりに過ぎない。先述の通り、中国政府は2017年頃、推定100億ドル（約1兆1000億円）の予算を投じて国家量子情報科学研究所の建設に着手し、ここで量子コンピュータや量子センサーをはじめ広範な量子技術の軍事研究を加速させようとしている。

この中国の後を追うのが米国だ。

米国の議会調査局が発行するニュースレター[*6]によれば、国防総省は2021財政年度に量子技術の研究開発費として6億8800万ドル（約760億円）を議会に要求した（ここでいう量子技術とは、基本的に量子情報技術のことだ）。この額は同財政年度の量子情報科学・研究予算（約8億ドル）の80パーセント以上を占めている。つまり米国における量子情報技術の研究開発は、その大半が国防総省の軍事予算で賄われていることになる。

米国の陸海空軍の中で、最も量子技術に関心を寄せているのが空軍とされる。この技術は宇宙を舞台にした次世代の戦争で、転換的（transformative）な役割を果たすと期待しているのだ。

他方、国防総省のような政府機関と民間企業が協力して、量子技術の軍事利用を進めるとの見方もある。

英国のシンクタンク、国際戦略研究所（IISS）の年次報告書「ミリタリーバランス2019」は、グーグルやIBM、マイクロソフト、Dウェイブなど民間企業が現在開発中の量子コンピュータが、いずれは政府を主体とする量子軍事技術のプラットフォームになる可能性があると指摘している。[*7]

ウクライナへの軍事侵攻でロシアの量子開発は停滞へ

同じく「ミリタリーバランス2019」によれば、EU（欧州連合）も2018年に量子技術を開発する「量子フラグシップ計画」を立ち上げた。10年間で10億ユーロ（約1300億円）を投じ、量子コンピュータや量子通信のような量子情報技術を開発すると同時に、AIなど周辺領域への応用も研究していく。

欧州を個別に見ると、フランスやドイツが量子技術開発に強い意欲を示している。フランスのエマニュエル・マクロン大統領は2018年、オーストラリアのマルコム・ターンブル首相（当時）との間で、量子シリコン集積回路の共同開発を行う覚書を交わした。ドイツ政府も2018年、量子技術の研究開発に4年間で約6億5000万ユーロ（800億円以上）の予算を投じることを明らかにした。これら欧州各国の量子技術研究は表向きは民需を中心とする平和利用を掲げているが、実際には軍事利用を念頭に置いた動きと見られている。

米国や中国、日本さらには欧州の活発な取り組みは、国家間のデジタルデバイド（格差）を拡大する恐れがあるという。途上国の多くは、量子コンピュータをはじめ巨額の開発資金を必要とする量子情報技術に、先進国並みのリソースを振り向けることができない。

このため、国連常任理事国をはじめ核兵器を保有する一部の国々が、今後は量子情報技術のような安全保障に関わる新たなテクノロジーによって、覇権国としての国際的地位を将来にわたって確定させてしまう恐れもある。こうした懸念は、2018年10月にポーランドで開催された第4回欧州サイバー・セキュリティ・フォーラムで提起されたという。

この点ではロシアの動向も気になる。

「ミリタリーバランス2019」によれば、ロシア政府も2011年に「ロシア量子センター」を設立するなど国を挙げて量子技術の研究開発を進めてきた。しかし、この分野で先頭を走る米中両国ほどには量子技術にコミットしていないと見ている。

量子コンピュータや量子暗号など量子情報技術における最近のブレークスルーは、いずれも米国や中国で成し遂げられるなど、ロシアはこの分野で先頭集団には含まれていないと分析している。実際、米国政府が「量子ギャップ」という表現で危機感を募らせる相手はもっぱら中国であり、ここでロシアが名指しされないことからも、それが窺えるという。

現在、ロシアにおける量子技術の研究開発は国営原子力企業「ロスアトム」を中心に進められている。

ロスアトムは2019年に「量子技術ロードマップ」を策定。総額240億ルーブル（約400億円）の予算を投じ、官民挙げて量子技術を開発していく計画を立てた。その成果として、2021年12月にはロシア量子センターなどの研究チームが開発したばかりのイオン・トラップ方式の量子コンピュータを公開した。しかし、それはわずか4量子ビットの試作機に過ぎず、（第2章で紹介した）米IonQが既に製品化した同じ方式の22量子ビットマシン等と比べると見劣りがする。

その後、2022年2月にロシアによるウクライナ侵攻が始まると、これに対する西側諸国の厳しい経済制裁が発動された。さらに米バイデン政権は、ロシアに対する「AI」や「量子」「バイオ」「半導体」など高度技術の輸出禁止措置を打ち出した。ここには米国製の技術を扱う日本や欧州など諸外国の製品も含まれるため、今後ロシアのハイテク開発は停滞するとの見方が濃厚だ。当然、量子コンピュータ等の研究開発も相当なダメージを被るだろう。

既存の暗号を揺るがす量子コンピュータへの危惧

以上のように世界的な量子技術開発が進むなかで、各国の政府関係者がひときわ神経を尖らせるのは量子コンピュータの暗号技術への影響である。

第二次世界大戦で英国の天才数学者チューリングらの研究チームは、ドイツが開発した難攻不落の暗号エニグマを解読し、対独戦争の勝利に大きく貢献した。暗号技術は有事・平時を問わず国家間のパワーバランスを左右し、ひいては一国の命運を分けることもある。

今、この暗号技術が近い将来誕生するかもしれない本格的な量子コンピュータを前提に、大きく変わろうとしている。ここで、やや回り道になるが、後の理解を助けるために、現代の暗号技術の概要を紹介しておこう。

そもそも暗号とは、「ある情報を特定の決まった人しか読めないように一定の手順に基づいて無意味な文字や符号の列に置き換えたもの。情報の伝送や記録、保存の際、第三者に盗み見られたり改竄されないようにするために作成される」（IT用語辞典e-Wordsより）。

誰でも読める平文の情報（普通の文章）を暗号化するには、暗号化のアルゴリズムとともに「鍵」と呼ばれる別個の情報が必要になる。

一番わかりやすい例には、平文に記されているアルファベット文字を一定の文字数だけずらして暗号化する「シーザー暗号」がある。たとえば平文の「apple」は、1文字ずらすとすれば「bqqmf」、2文字ずらすとすれば「crrng」という暗号になる。この場合、「文字をずらす」という手続きが暗号化アルゴリズムであり、「ずらす文字数」がこの暗号方式の鍵となる。

もちろん現代の暗号技術は、このシーザー暗号よりは、ずっと複雑かつ高度な方式である。

現在、世界で広く使われている暗号技術は前章でも紹介したように、「共通鍵方式」と「公開鍵方式」の2種類に分けられる。

共通鍵暗号は別名「対称暗号」とも呼ばれ、一つの鍵で情報を暗号化し、それと同じ鍵で復号も行う（復号とは暗号化された情報を元に戻して、誰でも普通に読める平文にすること）。つまり、この一つの鍵は暗号化と復号に共通して使えるから共通鍵と呼ばれるわけだ。

改めて言うまでもないが、共通鍵は平文の情報を暗号化する人と、その人から送信されてきた暗号情報を復号して読もうとする人との間で共有する必要がある。が、そのために暗号情報と共通鍵を同時に相手に送信したとすれば、その通信を第三者に傍受されて暗号情報とともに鍵も盗まれてしまう危険性がある。鍵を盗まれてしまえば、暗号情報が第三者に解読されてしまうから元も子もない。

これは「鍵配送問題」と呼ばれる。この問題に対処する方法はいくつかあるが、いずれも鍵を共有できる人数やシステムにかかる負荷をはじめ、いくつかの点で限界を抱えている。つまり鍵配送問題は共通鍵暗号のネックとなっている。

米国立標準技術研究所（ＮＩＳＴ）が２０００年に採択した「ＡＥＳ（Advanced Encryption Standard）」が、現時点で共通鍵暗号の国際標準となっている。

ＡＥＳの暗号化アルゴリズムは、「ラウンド」と呼ばれる暗号化の手続きを何度も繰り返すようなしくみになっている。その詳しい説明は割愛するが、各ラウンドの暗号化では、ある種の暗号表と「排他的論理和」と呼ばれる論理演算が組み合わせて使われる。

逆に誰かから通信で送られてきた暗号情報を、復号して平文に戻す際にも同じ暗号表が使われる。したがってこの暗号表が、暗号情報の送・受信者の間で共有される共通鍵となる。

ＡＥＳのような共通鍵暗号は「情報を暗号化する処理速度が速い」という長所の一方で、やはり（前述の）鍵配送問題という弱点も抱えている。

ＲＳＡ暗号とは何か

この問題に対処するために考案されたのが「公開鍵方式」の暗号だ。

公開鍵暗号は、情報の暗号化と復号とで別々の鍵を使う方式で、１９７７年に米国で発明された「ＲＳＡ」が事実上の国際標準である（第2章で紹介したように、ＲＳＡは発明者3名の苗字の頭文字に由来）。

暗号用の鍵は社会に公開されており、この公開鍵を使えば誰でも情報を暗号化して相手に送ることができる。

一方、復号に使われる鍵（プライベート鍵あるいは秘密鍵などと呼ばれる）を持っている人は通信の受信者だけだ。この人だけが、送信されてきた暗号情報を秘密鍵で復号して読むことができる。この方式であれば、送・受信者の間で鍵を配送する必要がないので鍵配送問題は解決する。

こうしたＲＳＡ暗号は現在、ネットショッピングやキャッシュレス決済、銀行のＡＴＭ

等、私たちの便利な日常生活を支える重要な社会インフラとなっている。

もちろん私たち一般ユーザーは普段、RSA暗号を意識して使うことはない。たとえばネットショッピングをする際に、私たちはクレジットカード情報等をインターネット経由で業者に送るが、それを処理する秘密鍵や公開鍵の管理・操作はウェブブラウザや業者のサーバーが自動的に行ってくれるから、私たちがそれに気付くことはない（ちなみにRSAは、個人が設定するパスワードとは別もので、こうしたパスワード自体がRSAのような暗号で守られている）。

RSAで採用されている暗号化アルゴリズムは「整数の剰余系（割り算の余り）」に関する計算に基づいており、非常にシンプルな数式で表現される。シンプルではあるが、秘密鍵を手に入れない限り暗号の復号（解読）は絶対にできないよう巧妙に工夫されている。

一方、暗号の鍵となるのは2つの大きな素数と、それらを掛け合わせた巨大な合成数である。これらのうち巨大な合成数が公開鍵となり、それを素因数分解して得られる2つの大きな素数が事実上の秘密鍵となる。

世界の暗号が半世紀ぶりに変わる

このRSAに加え、ビットコインやイーサリアムなど暗号通貨で使われている「楕円曲線暗号」も公開鍵暗号の一種である。楕円の弧長を求める楕円積分の逆関数から生まれた暗号方式だ。これ自体もまた、用途に応じていくつかの方式に分かれる。

なかでもビットコインで使われているのは、厳密には「楕円曲線DSA」と呼ばれる電子署名アルゴリズムだ。[*8] これは暗号通貨の基盤技術「ブロックチェーン（分散台帳）」に情報を書き込む際の本人認証に使われる。

第2章で紹介したように、1994年に開発された「ショアのアルゴリズム」によって、大規模な素因数分解に依存するRSA暗号が量子コンピュータで容易に破られる（解読される）ことが判明した。

楕円曲線暗号のような他の公開鍵暗号も、素因数分解と同程度の計算複雑性を有しているので、同じく量子コンピュータで破られてしまう恐れがある。これが最近、暗号通貨のユーザー（所有者）の間で重大な懸念を呼んでいる。

世界最大の会計事務所デロイト・トウシュ・トーマツによれば、ビットコイン全体の約25パーセントは量子コンピュータの攻撃に対し脆弱な状態に置かれているという。[*9] 2019年にグーグルが「スパコンを凌ぐ量子超越性を達成した」と発表した際、ビットコインの相場が急落したことに、そうした懸念が現れている。

もっとも「ショアのアルゴリズム」が考案された1994年当時、量子コンピュータは理論的には設計可能でも、その実機を作れると信じている専門家はいなかった。このため社会インフラとなった暗号が、量子コンピュータによって実際に破られてしまう恐れもなかった。それはあくまで、遠い未来に起きるかもしれない理論的な可能性に止まっていたのである。

しかし２０１３年頃から、グーグルやＩＢＭなど巨大ＩＴ企業が本格的にこの分野に参入し、量子コンピュータの実機開発を加速するにつれ、「このままでは意外に早い時期にＲＳＡのような暗号が破られてしまうのではないか」という危機感が専門家の間で高まってきた。

これを受け、米国立標準技術研究所（ＮＩＳＴ：National Institute of Standards and Technology）は２０１６年、量子コンピュータでも解読することができない「耐量子暗号（Post-Quantum Cryptography）」技術の策定に着手した。といっても、この研究所自体がそのような暗号技術を開発するわけではない。むしろ世界各国の暗号研究者に呼びかけ、そうした新たな暗号技術を公募したのである。

この呼びかけに応じ、翌２０１７年には世界中から全部で69種類の暗号方式が候補として寄せられた。その後、専門家らによる評価・選定を経て、２０２０年７月には４つの候補に絞り込まれた。

暗号破りコンテストの結果と次世代暗号導入を急ぐ理由

これらの候補は、日本のＮＴＴや米クアルコムなどのグループが開発した「ＮＴＲＵ」をはじめ、いずれも「格子問題」や「符号問題」等と呼ばれる複雑・高度な数学の問題を暗号に応用したものだ。これらの問題は「量子コンピュータでも解くことができない超難問」とされ、その問題を解くことができない限り、暗号を破ることができない。この点が耐量子暗号として認められる理論的根拠となっている。

これを実際に証明するため、世界各国で一種の暗号破りコンテストが実施されている。たとえば２０２１年にフランス国立情報学自動制御研究所が主催した暗号解読コンテストでは、ＫＤＤＩ総合研究所が世界で初めて１１６１次元の符号暗号を解読することに成功した。総当たり方式による単純計算では、世界最高性能のスパコンを使っても１億年以上かかるとされるところを、商用クラウド上で特殊なアルゴリズムと超並列化の手法を使うことによって約３７５時間で解読した。

逆に言えば、既存のコンピュータでも現実的な時間内に解けると示すことにより、たとえ高度な符号問題でも暗号として使うには１１６１次元では不十分であることを証明した。量子コンピュータで解読を試みられるとすれば、なおさら危ないことになる。

しかし逆に次元数を増やしすぎても問題が発生する。ハッカーではなく正当なユーザーが、正規の暗号鍵を使って暗号文を平文に戻して読もうとする際、システムの処理時間が増大しすぎて使い物にならない。

このため、たとえ量子コンピュータで攻撃されたとしても、暗号の安全性が確保される必要最低限の次元が求められている。

こうしたコンテストによる厳しい選別を経て、NISTは現在の4候補の中から、2022年中に「耐量子暗号」方式をおおむね2つの候補に絞り込む見通しだ。これらのうちの一つを2024年までに規格化する計画とされる（残りの一つは第一候補の規格化が技術的に失敗したときに備え、補欠候補となる見通し）。日本をはじめ各国の企業も、情報システムの更新に向けた準備等の対応を迫られる。

しかし、現在のRSA暗号を破ることのできる本格的な量子コンピュータが登場するのは、早くても10～20年先と見られている。なぜ、金融やITをはじめ産業各界の企業は今から、それに向けた準備を始めなければならないのだろうか？

一つの理由は、すでに量子コンピュータの登場を前提としたスパイ行為などが始まっていると見られることだ。

近年、中国やロシア等を後ろ盾にしたハッカー集団が世界各国の金融、ヘルスケア、軍事・諜報などの情報システムに侵入し、それらの機密情報を大量に盗み出しては蓄積しているとされる。[*10] それらの情報が現時点では暗号で保護されていても、将来登場する量子コンピュータを使って解読できると考えられるからだ。これを未然に防ぐためにも、なるべく早い時期から耐量子暗号の導入に向けた準備を始めなければならない。

もう一つの理由は、システムの移行に長い時間がかかることだ。世界全体では何十億台にも上るパソコンやスマホ、企業内サーバーのみならず、金融機関のＡＴＭや車載システム、あるいはスマート家電など実に多彩な情報端末がネットワークでつながっている。これら全てを現在のＲＳＡから次世代の耐量子暗号へと切り替えるには、ゆうに10年以上の歳月が必要となる。その移行が完了するまでの間は、ＲＳＡと次世代暗号が並存して使われると見られている。

すでに米グーグルは自社のクローム・ブラウザで耐量子暗号の試験的な利用を開始した。また（グーグルの親会社）アルファベットからスピンオフした「サンドボックスＡＱ」も耐量子暗号の研究開発に注力している。この分野は今、米国政府に加えてＮＡＴＯ（北大西洋条約機構）も本格的な取り組みを開始するなど、世界的なホットイシューとなっている。

さらにビットコインやイーサリアムなど暗号通貨の開発者コミュニティでは、「量子耐性台帳（ＱＲＬ：Quantum Resistent Ledger）」と呼ばれる新たなブロックチェーン技術の開発を進めている。耐量子暗号技術に基づいて、ハッカーなど外部からのデータ改竄を阻止する技術だが、ＮＩＳＴによる暗号技術の標準化が完了する２０２４年以降に完成することになるだろう。

耐量子暗号と量子暗号

以上のような「耐量子暗号」とは別個に、「量子暗号」と呼ばれる技術の研究開発も各国で進んでいる。両者の呼称は似ており紛らわしいので、正確な定義を確認しておこう。

まず耐量子暗号とは「量子コンピュータによる攻撃に耐える力を持った暗号技術」のことだ。この暗号技術自体は、量子力学に基づく「量子技術」を使う必要はない。先述の「格子問題」や「符号問題」など、主に高度な数学を使った暗号がこれに該当する。

これに対し量子暗号とは、それ自体が量子技術に依存する暗号技術である。この暗号はまた、量子コンピュータによる攻撃にも十分耐える力を持っている。つまり量子暗号は（ＮＩＳＴが標準化を進める「耐量子暗号」ではないが）語義的には耐量子暗号の一種と見ることもできる。

量子暗号は共通鍵方式の一種で、「量子鍵配送（ＱＫＤ）」と呼ばれる量子技術を採用している。

量子鍵配送は、光の素粒子である「光子」に共通鍵の情報を載せて相手に配送する。光

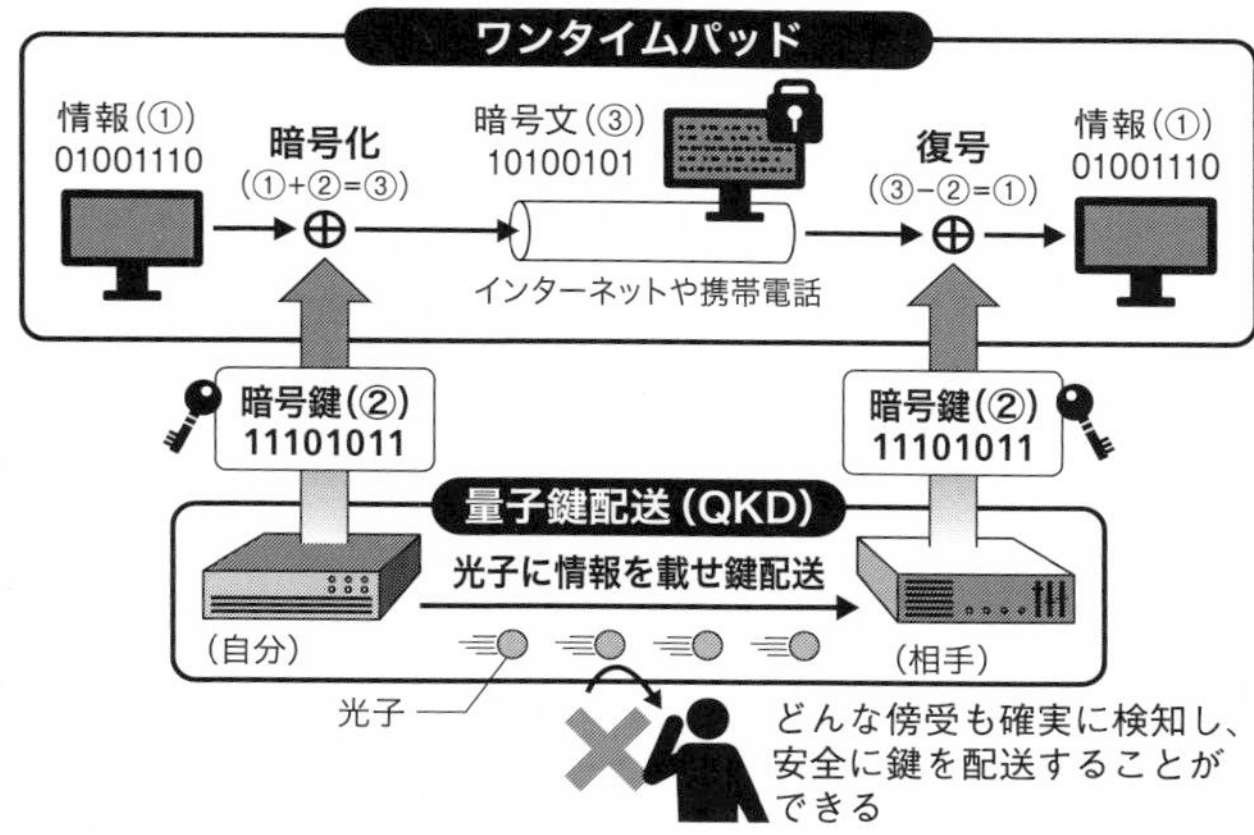

図４　量子暗号通信のしくみ

出典：https://www.nict.go.jp/press/2022/01/14-1.htmlをもとに編集部作成

子はハッカーのような第三者が外部から盗み見ると、攪乱されて必ずその痕跡が残ったり、光子自体が消失することもある。システムは痕跡や消失を示す数値データが一定の閾値を下回ったときだけ「傍受がなかった」と判定し、相手のコンピュータで共通鍵を生成する。これにより、どんな傍受も確実に検知し、安全に鍵を配送できるとされる。つまり共通鍵方式の弱点である「鍵配送問題」を解決したことになる。

この量子鍵配送と「ワンタイムパッド（使い捨てパッド）」と呼ばれる強力な暗号化アルゴリズムを組み合わせることにより、理論的にはどんな手段でも（つまり量子コンピュータでも）絶対に破ることのできない究極の暗号が実現されるという（図４）。

暗号をめぐる中国と米国の駆け引き

この量子暗号では、後述する中国と並んで、東芝やNECなど日本メーカーも高度な技術を有している。両社は2021年12月、野村ホールディングス、野村証券、情報通信研究機構（NICT）と共同で、量子暗号通信の実証実験を行った。実際の株式取引に採用されているフォーマットに準拠したデータを量子暗号で送信し、この技術が金融分野に適応できることを検証した。

2022年2月、東芝は米国の大手銀行JPモルガン・チェース等と共同で、量子暗号通信をブロックチェーンに応用する実証実験に成功したと発表した。

JPモルガン・チェースは、国際送金に必要な情報を銀行間でやりとりする「リンク」と呼ばれる通信ネットワーク等に、ブロックチェーン技術を活用している。この実証実験では、東芝のQKD技術を使って、こうした通信ネットワーク上で盗聴者を瞬時に検知して安全に情報をやりとりする能力を検証したという。

これら先進的な企業の中でも、東芝はすでに2020年10月、量子鍵配送システムを製品として発表。大規模なゲノム（全遺伝情報）解析データや金融情報など、高い秘匿性が要求される分野に向けてマーケティングを図っている。2022年4月には、英国の通信大手ＢＴグループと共同でロンドンの複数拠点をつなぎ、量子暗号通信の試験的な商用サービスを始めたと発表した。

しかし米国政府はこの量子暗号を次世代標準として採用するつもりはない。そこには政治的な要因が影響しているかもしれない。

先述したように、中国は２０１６年に世界初の量子通信衛星「墨子号」を打ち上げた。２０２１年1月には、この衛星と地上をつなぐ４６００キロメートルの通信ネットワークを築き、この上でハッキングや傍受を不可能にする量子暗号通信を世界で初めて成功させた。米国のＮＩＳＴが量子暗号を次世代規格に採用しなかったのは、中国がこの分野をリードしているためと見る向きもある。他方、量子暗号が未だ技術的に成熟していないため、システムとしての安定性が欠如していることのほうが理由としては大きい、との見方もある（詳細は後述）。

いずれにせよ将来は恐らく、これら2つの方式の間で用途に応じた使い分けが生じると見られている。

ＮＩＳＴが規格化する耐量子暗号は、ネットショッピングや各種ＩＣカードなど一般社会での日常的な用途に使われ、量子暗号は軍事・諜報など安全保障の分野、さらには超先端的なゲノム医療など、より秘匿性の高い特殊な用途に利用されるだろう。

優先課題は量子人材の育成

ここまで様々な産業領域や社会さらには国家を通じて、量子コンピュータがどう使われ、どんな影響を与えるかを見てきた。

この夢の超高速計算機はまた、人類が直面する危機に対処するためにも使われ始めている。

新型コロナウイルスのパンデミックが起こった2020年春、カナダのDウェイブは新型コロナ対策を研究する大学や企業らに対し、同社のクラウド量子サービスの利用権を無料で提供した。新型コロナ感染症の治療薬の開発などに役立ててもらおうとする意図である。

もちろん同社製に限らず現在の量子コンピュータは、未だテスト用マシンの域を出ていない。このため、こうした実用的な試みが目立った成果を上げたという報告はない。しかしいずれ、その性能が指数関数的に向上するにつれ、量子コンピュータは「パンデミック」や「気候変動」などグローバルな問題の解決に大きな力を発揮してくれると期待されている。

本書執筆中の段階で、新型コロナウイルスのパンデミックは未だ終息に程遠い。しかし科学技術の粋を集めたｍＲＮＡワクチンは感染拡大を可能な限り食い止め、それがなければ失われたであろう多くの人命を救ってくれた。

このワクチンを開発する過程で、コンピュータによる同ウイルスのゲノム解析が重要な役割を果たした。[*11] かつては「最短でも5～10年はかかる」と言われたワクチンの開発・製品化が、今では最先端のバイオ情報技術を活用することで約1年にまで短縮された。

今後、量子コンピュータが実用化に成功すれば、こうした人類にとって死活的な問題の解決やブレークスルーを一層加速してくれるはずだ。

そのためには新たな人材の育成も必要となってくる。

量子コンピューティングの分野では、通常の履歴書にはほとんど記されることのない量子論の学位や高度な数学、計算機科学などの専門スキルが求められる。これらの技能や専門知識を併せ持つエキスパートは、世界全体を見渡しても１０００人足らずと見られている。[*12] 量子情報技術は一国の安全保障や産業競争力に深く関わってくるだけに、今後これらの専門人材を育成することは国や企業の優先課題になるという見方もある。

これに対し日本政府は、２０２１年度の補正予算で「経済安全保障重要技術育成基金」を設けた。[*13] 技術の進展が早い「ＡＩ」や「量子」など、先端的な重要技術を対象に総額２５００億円を充てる。文部科学省や経済産業省を中心に、複数年度にわたって柔軟かつ機動的に運用することで社会実装に繋げるとしている。大学や企業による研究開発や実証実験、さらには実用化の支援策等に拠出される見通しだ。近年、豊富な資金で世界中から研究者を集める中国への警戒感が高まるなか、この基金は技術や研究者の海外流出を防ぐ狙いもあると見られている。

また、内閣府の統合イノベーション戦略推進会議が2022年4月に打ち出した「量子未来社会ビジョン」では、「量子ユニコーンベンチャー企業の創出」や「量子技術の利用者を2030年までに1000万人にする」などの目標を掲げている。

効率が悪く安定性に欠ける量子技術への不安

他方で、量子コンピュータをはじめとする量子情報技術に過度な期待をかけることを戒める声も一部専門家の間で聞かれる。

米国のNISTが次世代の暗号技術に量子暗号ではなく、あえて格子問題など数学的原理に基づく耐量子暗号を選んだ理由は、量子技術のような揺らぎを伴う物理現象に対する懸念にあるという。

前述のように、中国はすでに人工衛星と地上をつなぐ4600キロメートルの通信ネットワークで量子暗号通信を成功させている。しかし、これはあくまで基礎研究の段階であり、そこで実際に行われたのは、量子暗号通信が（使われる光子の個数に換算して）100万個に1個の割合で成功したというレベルの実験である。つまり極端に効率が悪いのだ。

従来の光通信では1ビットのデータを送るために数万個の光子を用いる。仮に、そのうちの何個かが失われても気付くことはできない。

これに対し量子暗号通信における量子鍵配送では、光の強さを極限まで落として光子の数を絞り込んだ上で、1ビットのデータを送るために1個の光子を用いる。外部から盗聴されると個々の光子が消失したり、その状態が変化したりするので盗聴に気付くことができる。

逆に言うと、ここまで限界を追求しない限り、量子暗号通信は実現できないのだ。そこには当然、量子効果のような物理現象の揺らぎに伴う品質のばらつきが生じる。少なくとも現時点の量子暗号通信は安定性に欠けるとの見方が強い。

これでは十分な信頼性を保証できないという理由で、NISTは量子暗号の代わりに数学的な原理に基づく暗号技術を次世代標準に採用することにしたという。格子問題や符号問題をベースとする暗号であれば、「NP完全」や「NP困難」など数学的に安全性を担保できるからだ。ただ、これらの難問を将来登場する本格的な量子コンピュータが必ずしも解けないと決まったわけでもない。結局、実機で試してみないとわからないというのが筆者の正直な感想である。

先端技術開発よりも優先すべきこと

量子暗号や量子コンピュータをはじめとする量子技術は、光子や電子などの量子に伴う繊細な物理現象に依存する新たな情報技術である。それはまた人類がこれまでに開発してきた様々な技術よりも遥かに難度が高いと同時に、全く異質かつ未知の領域でもある。

恐らく官僚や政治家など先端技術開発への予算配分を行う当事者は、そうした根本的な危うさに目を向けることはほぼない。むしろＩＢＭやグーグルのようなビッグテック、さらには米中欧など主要国・地域の政府が巨額の予算をかけて量子コンピュータの開発を進める以上、それに「後れを取ってはならない」というのが巨額予算を投じる本当の動機であろう。

ビッグテックや主要各国の政策担当者がそこまでコミットするのであれば、よほどの合理的勝算があってのことに違いない——新聞やテレビなど主要メディアはそう解釈し、ますます量子コンピュータを囃(はや)し立てる。これがブームを一層拡大し、さらに大きな注目と資金がこの分野に注がれることになる。

ちょうど犬が自分の尻尾を追いかけてグルグル回り続けるように研究開発を加速させて

いるのが、現在の量子ブームの実態ではないか。本当に作ることができるのかどうか誰も確証を持てないまま、周囲の状況に押されて巨額の資金が注ぎ込まれようとしている。唯一、フィージビリティ（実現可能性）を承知しているのは大学や企業の開発現場にいる科学技術者たちだが、その大半は我田引水的に自らの研究への資金と注目を集めるために、厳しい実情を明かすことはまずない。

量子コンピュータをはじめ量子情報技術の豊かな可能性ばかりに目を奪われて、中国のように桁外れの資金的・人的投資を決断する前に、一度立ち止まって冷静に評価することが求められるだろう。

さらに、より巨視的、歴史的な観点からの吟味も必要であろう。

「0であると同時に1でもある」という不可思議な物理状態を扱う量子コンピュータは人類の科学技術、いや文明を次なるフェーズへと導く歴史的な発明だ。ちょうど古代の人類が青銅器から鉄器時代へと移行したような、いや恐らくそれ以上に大きな意味とインパクトを世界にもたらすだろう。しかし、そのようにパワフルな超高度技術を適切に管理し、平和的に使いこなせるほどの倫理水準に現在の人類は到達したと言えるだろうか。

本書執筆中の2022年2月、プーチン大統領の実質的な指揮下にあるロシア軍がウクライナに侵攻。その直後からチョルノービリ（チェルノブイリ）、ザポリージャなどウクライナ各地の原子力発電所を攻撃し、欧州のみならず世界全体を震撼させた。ロシアは核兵器の先制使用をちらつかせ西側諸国を牽制する一方、国連の安全保障理事会では「ウクライナで生物兵器が開発され、そこに米国が関与している」などと主張。これに対し米国は「ロシアこそウクライナで生物・化学兵器の使用を計画している可能性がある」と反論した。ロシア軍はまた、極超音速ミサイル「キンジャール」でウクライナ軍の地下弾薬庫など軍事施設を破壊したとも発表している。

ロシアあるいはプーチンは特殊なケースだと言ってしまえばそれまでだが、ひとたび今回のような戦争が起きると、それを外部から食い止める力やしくみが機能しないことのほうに、むしろ世界の人々は恐怖を感じたのではなかろうか。

もちろん量子技術は核兵器や生物兵器、あるいはミサイルのような軍事技術ではないが、使い方次第では、それらに勝るとも劣らない破壊的な結果をもたらすデュアル・ユース（民生・軍事両用）技術であろう。

すでに（開発の程度で）量子技術に先行するAI技術では、これを軍事転用することで、ある程度まで自律的なミサイルや攻撃用ドローン、あるいは無人で動く戦闘機や装甲車、潜水艦などが開発され、その一部は実戦配備されている。これらのAI兵器は、ロシアのみならず米国や中国をはじめ軍事強国を目指す全ての国が巨額の予算を投じて開発を進めてきた。

これらのケースは、まさに科学技術が先走って発達し、その活用方法をあらかじめ慎重に検討・規制しなかったときの危険性を如実に物語っている。今のままでは、量子コンピュータをはじめ量子技術も同じ道をたどる可能性が高い。その実現を急ぐよりも、これらに代表される次世代の超先端技術を適切に管理し、平和利用へと導く制度的な枠組みを構築することのほうが先決ではなかろうか。

参考文献

＊1 "Traffic Signal Optimization on a Square Lattice with Quantum Annealing," Daisuke Inoue, et.al., Scientific Reports (online), 10 Feb., 2021

＊2 "Quantum Chemistry Simulations of Dominant Products in Lithium Sulfur Batteries," Julia E. Rice, et.al., Journal of Chemical Physics, 8 Jan., 2020

＊3 "Hartree-Fock on a superconducting qubit quantum computer," Google AI Quantum and collaborators, Science, 28 Aug. 2020

＊4 "Elucidating reaction mechanisms on quantum computers," Markus Reiher, et.al., Proceedings of the National Academy of Sciences of the United States of America, July 18, 2017

＊5 「量子技術イノベーション戦略の見直しの方向性　中間取りまとめ概要（案）」、第10回　量子技術イノベーション会議（イノベーション政策強化推進のための有識者会議「量子技術イノベーション」）、2022年1月24日

＊6 "Defense Primer: Quantum Technology," In FOCUS, Congressional Research Service, May 24, 2021

＊7 "Quantum computing and defence," The Military Balance 2019, IISS

＊8 「暗号技術入門　第3版」、結城浩、SBクリエイティブ、2015年

＊9 "Quantum computers and the Bitcoin blockchain An analysis of the impact quantum computers might have on the Bitcoin blockchain," https://www2.deloitte.com/nl/nl/pages/innovatie/artikelen/quantum-computers-and-the-bitcoin-blockchain.html

＊10 "The Day When Computers Can Break All Encryption Is Coming," Christopher Mims, The Wall Street Journal, June 4, 2019

＊11 "Moderna and Pfizer Are Reinventing Vaccines, Starting With Covid," Peter Loftus, Jared S. Hopkins and Bojan Pancevski, The Wall Street Journal, Nov. 17, 2020

＊12 "The Next Tech Talent Shortage: Quantum Computing Researchers," Cade Metz, The New York Times, Oct. 21, 2018

＊13 「基金乱立3.7兆円、膨らむ補正予算　監視の目働きにくく」、日本経済新聞電子版、2021年12月21日

おわりに

「物理学は終わった学問だ」——かつて、そんなことが言われた時代があった。いつ頃からかは定かではないが、遅くとも大学で物理学を専攻した筆者が卒業する1980年代半ばには、同級生の間で半ば自嘲気味に囁かれていたような記憶がある。恐らく、それ以前も、あるいはそれ以降も同じようなことが言われていたと思う。

本当は、そのような見方は正しくない。物質の究極の構成要素を探り、宇宙の基本的法則を明らかにしようとする素粒子物理学にしても、地球外の物質や天体、あるいはビッグバンのような宇宙の起源と未来を研究する天文学・宇宙物理学（いずれも物理学の仲間と考えられる）にしても、そうやすやすと最終的な答えが得られる分野ではない。

ときに巨大なブレークスルーが報告されるにせよ、最終解（があるとすれば、それ）にたどり着くまでには恐らく何百年、何千年、あるいはそれ以上となる半ば無限の時間がかかるであろう。問いが続く限り研究は続く。物理学は終わった学問どころか、実際には永遠に続く学問と見るほうが正しかろう。

「物理学が終わった」というのは、恐らく「物理学が産業界の表舞台から消えた」ということを言いたいのであろう。そういう意味なら、確かにある程度、的を射ているかもしれない。昨今、新聞の経済・産業欄等を見れば、（生命科学に基づく）バイオや（情報科学をベースとする）ＩＴ関連の記事はよく目にするが、物理学関連の報道を見かけることはそれほど多くない。

実際にはそれも程度あるいは頻度の問題であって、１９８０年代には「高温超伝導」が学界や産業界で一大ブームになったことがあるし、最近改めて注目されている半導体産業にしても、数ナノメーターというような超微細化・集積化を可能にしたのは露光装置に使われているレーザー、つまり現代物理学を代表する先端技術である。またインターネットやスマホのようなモバイル通信を支える光ファイバー技術も光学や物性物理学の賜物だ。さらに従来の原子力エネルギーよりもクリーンで安全といわれる「核融合」も、実用化が徐々に近づいていると見られている。

そういった点でも物理学は決して終わった学問ではないのだが、相対的に見れば確かにＩＴやバイオなど現在の花形産業に比べて日常生活からはわかりにくく、若干地味な印象がある。ハッキリ言えば、物理学は産業各界の発展を縁の下で支える裏方的な位置づけに甘んじてしまったのかもしれない。

しかし裏を返せば、かつては物理学が産業界の表舞台で主役として大活躍した時代があったということだ。

18〜19世紀にかけて欧州で急激な発達を遂げた電磁気学は、米国のサミュエル・モースによる電信機の発明、同じくアレキサンダー・グラハム・ベルによる電話の発明、イタリアのグリエルモ・マルコーニによる無線通信の実験、さらには日米をはじめ各国におけるテレビ受像機の開発など、その後の情報通信社会と大衆メディアの礎を築いた。

また本書でも紹介したように20世紀初頭に生まれた量子力学は、トランジスタや半導体を中心とするエレクトロニクス産業の勃興と発達を促し、便利で豊かな現代社会を築き上げることに大きく貢献したのである。

これらの時代は、まさしく物理学が産業界の中心にあった。ただ、いつの時代でも、そうした学問における基礎研究の成果が、新たな産業へと結実するまでにはタイムラグ（時間差）が生じる。

1920年代後半、スイスの物理学者フェリックス・ブロッホらは量子力学を固体物理学に応用。これによりエネルギーバンド理論を確立して、後のエレクトロニクス産業の礎を築いた。

しかし、このバンド理論が生まれてから、1948年に米ベル研究所でトランジスタが開発されるまでに約20年。さらに、このトランジスタを微細化・集積化した半導体・LSI産業が、日米をはじめ世界で大きく開花する1970年代までには40年以上の歳月を必要とした。

今、地平線の彼方に朧(おぼろ)げに浮かび上がってきた量子コンピュータによって、物理学は再び産業界の表舞台へと復活してきたのかもしれない。しかし、繰り返すが、これは人類が過去に発明してきた、あらゆる機械・装置類とは比較にならないほど、複雑難解な理論と常識に反するパラドックスに基づいて実現されねばならない。それまでに一体どれほどの歳月と資金を費やすことになるのだろうか。

夢の超高速計算機は世界の未来を切り開く驚異の発明へと結実するのか、それとも単なる幻に終わるのか？　これから私たちはその正体を自らの目で確かめる「歴史の証言者」となるだろう。

N.D.C. 007　206p　18cm
ISBN978-4-06-528299-1

講談社現代新書　2663

ゼロからわかる量子（りょうし）コンピュータ

二〇二二年六月二〇日第一刷発行

著　者　小林雅一（こばやしまさかず）

発行者　鈴木章一

発行所　株式会社講談社

東京都文京区音羽二丁目一二―二一　郵便番号一一二―八〇〇一

電　話　〇三―五三九五―三五二一　編集（現代新書）
〇三―五三九五―四四一五　販売
〇三―五三九五―三六一五　業務

装幀者　中島英樹／中島デザイン

印刷所　株式会社ＫＰＳプロダクツ

製本所　株式会社国宝社

定価はカバーに表示してあります　Printed in Japan

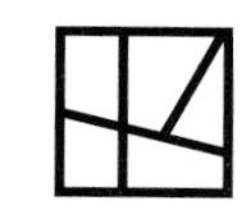

「講談社現代新書」の刊行にあたって

教養は万人が身をもって養い創造すべきものであって、一部の専門家の占有物として、ただ一方的に人々の手もとに配布され伝達されうるものではありません。

しかし、不幸にしてわが国の現状では、教養の重要な養いとなるべき書物は、ほとんど講壇からの天下りや単なる解説に終始し、知識技術を真剣に希求する青少年・学生・一般民衆の根本的な疑問や興味は、けっして十分に答えられ、解きほぐされ、手引きされることがありません。万人の内奥から発した真正の教養への芽ばえが、こうして放置され、むなしく滅びさる運命にゆだねられているのです。

このことは、中・高校だけで教育をおわる人々の成長をはばんでいるだけでなく、大学に進んだり、インテリと目されたりする人々の精神力の健康さえもむしばみ、わが国の文化の実質をまことに脆弱なものにしています。単なる博識以上の根強い思索力・判断力、および確かな技術にささえられた教養を必要とする日本の将来にとって、これは真剣に憂慮されなければならない事態であるといわなければなりません。

わたしたちの「講談社現代新書」は、この事態の克服を意図して計画されたものです。これによってわたしたちは、講壇からの天下りでもなく、単なる解説書でもない、もっぱら万人の魂に生ずる初発的かつ根本的な問題をとらえ、掘り起こし、手引きし、しかも最新の知識への展望を万人に確立させる書物を、新しく世の中に送り出したいと念願しています。

わたしたちは、創業以来民衆を対象とする啓蒙の仕事に専心してきた講談社にとって、これこそもっともふさわしい課題であり、伝統ある出版社としての義務でもあると考えているのです。

一九六四年四月　野間省一